Redactie: Saskia Rossi
Omslagontwerp: Erik de Bruin, www.varwigdesign.com
                     Hengelo
Druk: Wöhrmann Print Service
                     Zutphen

ISBN 90-76968-62-4

WWW
wij willen weten

Ton Vingerhoets

Koninklijke Marine

Deel 12

VELLESSY

Inhoudsopgave

	Inleiding	*7*
1.	*Nederland in een veranderende wereld*	*10*
2.	*De taken en de mensen van de marine*	*20*
3.	*Het oudste krijgsmachtdeel:*	
	van de Ordonnantie tot de negentiende eeuw	*30*
4.	*Een modern krijgsmachtdeel:*	
	van stoomschip tot onderzeeboot	*37*
5.	*De organisatie van de Koninklijke Marine*	*44*
6.	*Korpsen en diensten*	*56*
	Bronnen voor dit boekje	*64*

Inleiding

Een spreekbeurt of een werkstuk voorbereiden, maken en presenteren: je ziet er behoorlijk tegenop. Het lijkt ontzettend veel werk, je weet niet of je het allemaal wel goed zult doen en vooral: hoe kom je aan een goed onderwerp? De serie 'Wij Willen Weten' kan je met dat laatste helpen. Er komen regelmatig van overal uit het land vragen naar informatie over bepaalde onderwerpen binnen. Daarvan kun je een toptien met de meest gevraagde onderwerpen maken. Dat hebben we dus gedaan, met 'Wij willen weten' als resultaat. Een handig hulpje om alle belangrijke gegevens over het onderwerp van je spreekbeurt of werkstuk aan de weet te komen.

Eén van de onderwerpen uit die toptien is de krijgsmacht in Nederland en dan met name de Koninklijke Marine, de KM, zoals de gangbare afkorting luidt. En het is geen wonder dat zoveel jongeren daar iets over willen weten. Want je kunt zeggen wat je wilt, maar er zit toch een flink stuk romantiek aan de KM vast. Wie heeft er nooit eens een keer gedroomd dat hij of zij op een oorlogsschip de woelige baren bevaart? Of samen met zijn of haar kameraden in snelle motorbootjes een landing op een ver strand uitvoert, om daar de plaatselijke bevolking te hulp te komen? Die enorme scheepskanonnen afschieten, op een oorlogsbodem achter een radarscherm de bewegingen van de vijand volgen?
Ja, dat klinkt allemaal wel leuk. Maar gaat het nu in de werkelijkheid allemaal net zoals je vanaf de buitenkant ziet of waarvan je stiekem droomt? Nee, waarschijnlijk niet. De Koninklijke Marine is een enorm bedrijf, met een duidelijk omschreven taak en met regels en wetten. Een bedrijf dat in een snel veranderende wereld moet opereren. Dat in internationaal verband moet samenwerken, als onderdeel van de NAVO, de Noord-Atlantische Verdragsorganisatie. Dat is wel even iets anders dan romantisch op de oce-

anen dobberen of een scheepskanon afschieten.

We gaan in dit boekje kennismaken met de wereld van de marine. Met de Operationele Dienst, de Onderzeedienst, het Korps Mariniers, de Mijnendienst, de Marine Luchtvaart Dienst. Met de duizenden mannen en vrouwen die elk ogenblik moeten kunnen worden ingezet en die goed geoefend moeten zijn. Ze moeten hun wapensystemen onderhouden en goed kunnen bedienen, de hypermoderne apparatuur (bijvoorbeeld radar en sonar) moet altijd werken, maar je moet ook een schip kunnen besturen. Dat alles maakt de KM tot een geolied bedrijf.

O ja: je hoeft natuurlijk niet het hele boekje te behandelen. Welke onderdelen interesseren je het meest? De geschiedenis, of een deel daarvan? De opbouw van de KM? De vrouw in de marine? En hoeveel tijd (spreekbeurt) of hoeveel ruimte (werkstuk) je beschikbaar hebt, speelt natuurlijk ook een rol. Je krijgt echt geen uur voor een spreekbeurt en je werkstuk moet ook niet de omvang van een heel boek krijgen. Kies dus zorgvuldig je onderwerp uit; beter één onderwerp eruit gelicht en grondig behandeld dan vluchtig het hele boekje doorgewerkt!

Er is veel geschreven over de Koninklijke Marine. Als je nog meer wilt weten, surf dan op Internet naar Google, tik maar eens 'marine' in en vraag naar vermeldingen in het Nederlands. Dan verschijnt er een hele serie sites op je scherm, waarvan www.marine.nl natuurlijk de belangrijkste is. In andere sites vind je nog eens allerlei extra informatie, afbeeldingen en natuurlijk ook links naar weer andere sites. Ik heb er ook meermalen gebruik van gemaakt bij het samenstellen van dit boekje. En als je een briefje naar het Defensievoorlichtingscentrum, Postbus 20701, 2500 ES Den Haag schrijft, met het verzoek om documentatie-materiaal over de Koninklijke Marine toe te sturen, krijg je met die informatie op schrift ook allerlei plaatjes waarmee je je werk-stuk of spreekbeurt kunt illustreren. Of schrijf aan Koninklijke Marine, Postbus 20702, 2500 ES Den Haag en vraag in je briefje beleefd om informatiemateriaal. Ook kun je terecht bij

Marinevoorlichting Den Helder, Het Peperhuisje, Havenplein 3, 1781 Den Helder en voor het Korps Mariniers bij hun hoofdkwartier, Noordsingel 250, 3032 BN Rotterdam. Heel handig!

Ik hoop dat je veel aan dit boekje zult hebben bij het voorbereiden van je werkstuk of spreekbeurt en dat je in de serie 'Wij Willen Weten' straks nog veel meer onderwerpen zult kunnen vinden. En dan is er ook nog het boekje 'Een werkstuk? Een spreekbeurt? Geen probleem!'. Dat is een ideale handleiding, met veel praktische adviezen, tips en richtlijnen; het vertelt hoe je een werkstuk en/of een spreekbeurt het beste kunt voorbereiden, waar je geschikt materiaal vindt en hoe je het kunt uitwerken en illustreren. Veel succes!

De schrijver

1. Nederland in een veranderende wereld

Bijzonder landje

Toch een bijzonder landje, dat Nederland. Eigenlijk is het maar een klein stukje grond en water, maar dat land is zeker niet onbelangrijk in Europa. Dat komt vooral door zijn ligging aan zee en doordat drie grote Europese rivieren daarin uitmonden: de Rijn, de Maas en de Schelde, want hoewel die laatste rivier vooral door België stroomt, komt hij toch in Nederland in de zee terecht. Dat is erg belangrijk voor het reilen en zeilen van ons land. De haven van Rotterdam is al vele jaren de grootste zeehaven van de wereld en de nationale luchthaven Schiphol is een van de belangrijkste knooppunten binnen Europa. Handel, handel. Daar leeft Nederland vooral van, al sinds vele eeuwen. En dat komt dan vooral door die enorme zeehaven en die belangrijke luchthaven. Een echt transportland is het: Nederlanders zorgen binnen de Europese Unie (het samenwerkingsverband van vele landen in Europa) voor 40 procent van het vervoer over water en voor 25 procent van het vervoer over land. Daarom is de aandacht van Nederland voor het grootste deel op het buitenland gericht en dan vooral op het achterland in Europa.

En dat moet ook wel, want Nederland is een van de dichtst bevolkte landen ter wereld: er wonen zo'n zestien miljoen mensen op een oppervlakte van 41.350 vierkante kilometer. Als je dat op elkaar deelt, levert dat ongeveer 387 inwoners per vierkante kilometer op. Die wonen voor het grootste gedeelte in Amsterdam, Rotterdam, Den Haag en Utrecht: de Randstad, waar soms wel duizend mensen op een vierkante kilometer wonen. En rond 2011 verwacht het Centraal Bureau voor de Statistiek (een rijksinstelling die allerlei gegevens over allerlei onderwerpen uitzoekt en bewaart) de zeventien miljoenste inwoner! Dat aantal zal rond 2030 waarschijnlijk zo'n achttien miljoen zijn: een dikke 435 mensen per vierkante kilometer. Maar doordat de mensen steeds ouder worden en er steeds minder kinderen worden geboren, 'vergrijst' het land ook: er komen steeds meer ouderen. Omdat er minder kinderen worden geboren, zal de bevolking in de eenentwintigste eeuw teruggaan naar zestien miljoen en daar blijven steken. En dan hebben we het nog even niet over de Nederlandse Antillen en Aruba, waar immers ook Nederlanders wonen.

Héél veel buitenland

Teruggang of niet, er blijven meer dan genoeg mensen over en die zullen allemaal moeten schoolgaan, werken, eten en verzorgd worden. Dat vraagt om een goedlopend land, met een goedlopende economie (zeg maar het beheer van het huishouden van het land). Nou gaat het de laatste jaren niet zo best met de internationale en dus ook onze eigen economie, maar die herstelt zich ook wel weer, zo gaat het altijd. Maar voor zijn eigen inwoners zorgen is niet de enige taak van Nederland. Er is ook nog héél veel buitenland, waarmee we rekening moeten houden en waarmee we allerlei zaken hebben afgesproken. We hebben natuurlijk te maken met de Europese Unie, maar ook met de wereldwijde Verenigde Naties en de internationale militaire club Noord-Atlantische Verdragsorganisatie (NAVO of NATO, dat is de Engelstalige afkorting van North Atlantic Treaty Organisation), waarvan we lid zijn. Dat betekent onder meer dat we hebben afgesproken ons best te doen om vrede, veiligheid, vrijheid en welvaart in de hele wereld te helpen bevorderen.

Dat is nogal wat, ja. Moet zo'n klein landje als het onze ervoor zorgen dat, zeg maar, de inwoners van een Afrikaans land te eten hebben? Nou, dat doen we natuurlijk niet alleen, maar dat proberen we samen met een heleboel andere landen in de wereld. Zo steunt Nederland de overgang van Oost-Europese landen van dictatuur (= één man heeft het in een land voor het zeggen) naar democratie (= het volk kiest degenen die hen regeren en regeert dus als het ware mee). Ook doet Nederland zijn best om de vrede te handhaven in roerige landen, om onderdrukte minderheden te beschermen en ontwikkelingshulp te geven. Daarmee dragen wij bij aan de internationale veiligheid en het evenwichtige bestuur van allerlei landen. Dat doen we onder meer met onze krijgsmacht, bestaande uit de onderdelen landmacht, luchtmacht, marine en marechaussee.

Einde van de Koude Oorlog

Dat alles bij elkaar noemen we dan meestal internationale politiek. Die werd jarenlang beheerst door de tegenstelling tussen Oost en West: de Russen tegen de Amerikanen, zeg maar. Politiek en militair stonden die twee grootmachten, samen met de landen die met hen meegingen, lijnrecht tegenover elkaar. Dat heette de Koude Oorlog: een oorlog zonder dat er echt wapens tegen elkaar werden gebruikt. Maar er waren wel flinke onderlinge spanningen en steeds meer fabricage van steeds modernere wapens: de wapenwedloop. Dat was om de tegenstander te laten merken dat de ene partij even hard zou terugslaan als de andere zou aanvallen. Zo bleef het militaire evenwicht en daarmee de vrede gehandhaafd.

Maar dat veranderde in het begin van de jaren negentig van de vorige eeuw aanzienlijk: de Sovjet-Unie liet het communisme als alleenzaligmakende staatsvorm vallen en viel in een aantal zelfstandige landen uiteen. Ook het Warschau Pact, de militaire tegenhanger van de NAVO, hield op te bestaan en de Berlijnse Muur, het symbool van de scheiding tussen Oost en West, werd in 1989 onder luid gejuich afgebroken, waardoor de bewoners van het voordien streng van elkaar gescheiden West- en Oost-Duitsland plotseling zonder belemmering bij elkaar op bezoek konden. Daarmee eindigde de Koude Oorlog en verdween de dreiging van agressie tegen een van de beide partijen. Plotseling hoefden we niet meer bang voor 'de Russen' te zijn en de Russen op hun beurt niet voor 'de Amerikanen'. Dat betekende dat de regeringen van allerlei landen minder geld gingen uitgeven aan wapentuig (en zelfs hun atoomwapens uit elkaar haalden) en hun legers gingen verkleinen. Ook in Nederland was dat het geval: de dienstplicht, wat inhield dat iedere jongen in het jaar dat hij twintig werd in militaire dienst moest, werd opgeschort. De krijgsmacht bestond voortaan uit beroepspersoneel; je kon vanaf dat moment dus gewoon bij marine, land- en luchtmacht gaan solliciteren als je je tot het militaire bedrijf aangetrokken voelde. Overigens werd de dienstplicht niet echt afgeschaft; alleen de opkomstplicht, dus de plicht van iedere jongen om zich op afroep voor militaire dienst te melden, verdween. De dienstplicht werd alleen tijdelijk buiten werking gesteld, om in geval van plotseling internationaal gevaar toch nog dienstplichtigen te kunnen oproepen.

Hevige onlusten

Dat internationale gevaar is niet helemáál denkbeeldig. Door die veranderende wereld ontstonden er problemen binnen allerlei, vaak nieuwgevormde staten. Problemen die vroeger de kop ingedrukt werden, kwamen nu naar voren. Binnen diverse landen staken verschillen in godsdienst en in volksaard de kop op. Grenzen waarover hevige ruzies uitbraken, opkomend nationalisme, moslims die christenen niet met rust konden laten, christenen die moslims probeerden het land uit te jagen: vooral in Oost-Europa, zoals in het vroegere Joegoslavië, dat in Servië, Bosnië en Montenegro uiteengevallen was, braken hevige onlusten uit. Daardoor kwam de internationale veiligheid in gevaar. De illegale wapenhandel bloeide op en plotseling kon iedereen die dat wilde een wapen kopen en dat op zijn buurman leegschieten, als die bijvoorbeeld een andere godsdienst of een andere nationaliteit had. Dat lijkt heel stom, maar het gebeurt wel degelijk. Er zijn immers altijd mensen die denken dat alleen hún godsdienst of hún nationaliteit de ware is en dat iedereen die dat niet vindt maar moet oprotten. Desnoods proberen ze dat met geweld te bereiken. De internationale gemeenschap zag zich voor allerlei conflicten binnen allerlei landen geplaatst. Conflicten die moesten worden opgelost, want anders dreigden ze zich als een olievlek over grote delen van de wereld uit te breiden. Het gebeurde inderdaad veel in Oost-Europa, maar ook in Afrika, het Midden-Oosten en Azië. En daar moet iets aan worden gedaan, vond iedereen.

Vredesoperaties

De internationale gemeenschap doet er inderdaad iets aan. Er worden vredesoperaties ondernomen: in landen waar binnenlandse conflicten zijn, of conflicten met andere landen, die uit de hand dreigen te lopen, komt een vredesmacht, bestaande uit militairen uit verschillende landen. Die hebben de taak om te helpen bij de beëindiging van het conflict, maar vooral om erop toe te zien dat de gemaakte afspraken tussen de partijen ook worden nageleefd. En ook om het bestuur en de economie in die landen weer op te bouwen. Dat zijn natuurlijk heel ingewikkelde ondernemingen, waarbij militairen en burgerlijke instellingen samenwerken om hulp te verlenen en landen en hun inwoners opnieuw goed te laten functioneren.

Dat ga je niet zomaar in je eentje doen, dat spreekt vanzelf. Je wordt als land, als krijgsmacht gevráágd om aan een vredesoperatie mee te doen. Door internationale organisaties. Zoals de Verenigde Naties (VN), de club van vrijwel alle landen ter wereld, die op allerlei gebieden probeert de wereld in het gareel te houden. Of de Organisatie voor Veiligheid en Samenwerking in Europa (OVSE), de West-Europese Unie (WEU) of het militaire bondgenootschap NAVO. Als Nederland voor een operatie wordt gevraagd, zijn we daar in principe best toe bereid, maar niet zonder meer: de volksvertegenwoordiging, dus het parlement (de Tweede Kamer) moet toestemming geven en daarvoor moeten ze eerst goed onderzoeken of het overeenkomt met bepaalde regels die ze daarvoor hebben opgesteld, zoals het *Toetsingskader voor uitzending van militaire eenheden*.

Want deelnemen aan vredesoperaties hoort wel bij de hoofdtaken van de Nederlandse krijgsmacht. Ten eerste moet die het eigen land verdedigen als het door een vijand wordt aangevallen, maar ook helpen als een bondgenoot wordt aangevallen, dat spreekt vanzelf. Je zou ook kunnen bedenken dat er andere gevaren voor de veiligheid zouden kunnen opduiken, zoals een terroristische aanslag. Ook daartegen moet de Nederlandse krijgsmacht kunnen optreden. Verder moet ze ook hulp verlenen bij burgerlijke taken van de overheid. De Koninklijke Marechaussee kan politietaken verrichten, de kustwacht van de Koninklijke Marine houdt de kusten van de Nederlandse Antillen en Aruba in de gaten om drugssmokkelaars op te sporen. Maar ook bij natuurrampen of dreiging daarvan komt de krijgsmacht in het geweer. Als er bijvoorbeeld dijken op doorbreken staan, zie je militairen met zandzakken slepen om de dijken te versterken. Die hulpverlening sterkt zich ook uit tot internationale hulpverlening, in samenwerking met het ministerie van Ontwikkelingssamenwerking. Als er ergens in de wereld een acute hongersnood uitbreekt, staat de krijgsmacht klaar om voedsel naar het getroffen gebied te brengen. Als er een aardbeving is geweest en duizenden mensen dakloos zijn geworden, wordt er geholpen, bijvoorbeeld met tenten en dekens.

En tenslotte dus die vredestaak: de Nederlandse krijgsmacht is verplicht om te helpen bij het 'beschermen en bevorderen van de internationale rechtsorde', ofwel: helpen ervoor te zorgen dat de zaken weer goed komen in landen waar ernstige problemen zijn ontstaan. Dat betekent dus: deelnemen aan internationale vredesoperaties.

Stevig optreden

Dat klinkt allemaal nogal *soft*. Een beetje rondvaren op oorlogs-schepen, naar de bevolking zwaaien en af en toe een beetje wacht-lopen. Maar zo'n vredesoperatie kan ook best om stevig optreden vragen. Omdat er wel degelijk nog wordt gevochten in zo'n land of tussen landen, stiekem of openlijk. Dan helpt zwaaien naar de bevolking niet; dan moet er worden opgetreden. En hoewel oor-log voeren, vechten, op elkaar schieten, in de loop van de tijd bij de Nederlandse krijgsmacht – en zeker bij de Koninklijke Marine – een beetje op de achtergrond is geraakt, moeten militairen wel degelijk in staat zijn om waar nodig ook als echte militairen op te treden. Gevaarlijke situaties oplossen, ja, zelfs schieten, als dat niet anders kan. Liever niet, maar soms vraagt zo'n situatie er nu eenmaal om. En dat zoiets best gevaarlijk kan zijn, hebben we gezien bij de militairen die in Irak zijn gestationeerd.

Zo hebben sinds 1992 in totaal maar liefst meer dan 28.000 Nederlandse militairen aan een veertigtal vredesoperaties deelge-nomen. Ze waren (of zijn nog steeds) bijvoorbeeld in Cambodja, Haïti, Angola, Zaïre, het voormalige Joegoslavië (Bosnië, Servië, Montenegro en Macedonië), Irak en Cyprus. Halverwege 2004 zijn er bijna 2800 militairen bij vredesoperaties in het buitenland werkzaam.

Daarbij werken ze samen met krijgsmachten uit andere landen. En niet alleen bij vredestaken, maar ook in eigen land en bij onze buren: er bestaat een Duits-Nederlands legerkorps, de marines van België en Nederland werken nauw samen en ook de lucht-macht werkt samen met België en Duitsland. Bij het uitvoeren van vredestaken werkt de Nederlandse krijgsmacht samen met militairen uit allerlei landen. De NAVO heeft een zogenoemd *Partnerschap voor de Vrede* in het leven geroepen, waarin een kleine dertig landen uit Midden- en Oost-Europa samenwerken, met als doel om samen zo efficiënt mogelijk vredesoperaties te kunnen uitvoeren.

Correct en gedisciplineerd

En zo is de Nederlandse krijgsmacht eigenlijk een internationale krijgsmacht geworden. Een organisatie die zich niet op oorlogvoeren richt, maar op vredesmissies en humanitaire (= menslievende) taken. Een Nederlandse militair moet overal ter wereld en te allen tijde kunnen worden ingezet en dat betekent nogal wat voor je conditie en je uithoudingsvermogen. Vaak moeten militairen immers in hoge temperaturen werken, in primitieve streken, onder barre omstandigheden, soms met gevaar voor eigen leven. Dat betekent dat de opleiding van de Nederlandse beroepsmilitair gericht is op zijn of haar menselijke eigenschappen: zelfrespect en respect voor de medemens. Een militair wordt niet meer in de eerste plaats opgeleid om oorlog te voeren. Hij moet een correct en gedisciplineerd mens zijn, met een uitstekende conditie en een stabiele levenshouding. Dat klinkt allemaal een beetje hoogdravend, maar ik wil er maar mee zeggen dat je niet moet denken dat beroepsmilitairen allemaal avonturiers zijn, die niets liever doen dan een beetje op de zeven zeeën rondvaren en 'passagieren' in verre havens.

In 1999 had het ministerie van Defensie, waar de krijgsmachtdelen onder vallen, nog 75.000 mensen in dienst: 55.000 militairen en 20.000 burgers, want die werken dus ook voor de krijgsmacht. Bij de burgers was zo'n 19,5 procent vrouw, bij de militairen was dat bijna 7 procent. De bedoeling is overigens wel dat in 2010 het percentage vrouwen bij de militairen 12 en bij de burgers 30 procent zal zijn. Die 75.000 zijn verdeeld in zes onderdelen, waarvan de Landmacht met 33.000 personeelsleden de grootste is. Daarna volgt de Marine met 17.000 en de Luchtmacht met 13.000 personeelsleden. De Marechaussee is met 5300 leden het kleinste krijgsmachtdeel.

Dan zijn er nog twee onderdelen: het Commando Diensten Centra (CDC) met 5000 mensen is een onderdeel waarbij verschillende ondersteunende diensten, zoals geneeskundige verzorging, personeelswerving en vervoer zijn ondergebracht. De Centrale Organisatie (CO) tenslotte is met 1700 personeelsleden de kleinste organisatie van het ministerie; dat is in feite het ministerie, met minister van Defensie Kamp en staatssecretaris Van der Knaap als hoogste functionarissen; zij hebben op dit moment, in 2004, de politieke leiding. De secretaris-generaal van het ministerie is de hoogste ambtenaar; de chef Defensiestaf, vanaf 2004 de luchtmachtgeneraal Berlijn, is de hoogste militaire adviseur van de politieke leiding en de Defensiestaf zelf bemoeit zich met zaken die alle krijgsmachtdelen aangaan en leidt de planning van de operaties. Eigenlijk is het ministerie van Defensie dus te vergelijken met een heel groot bedrijf, met de krijgsmachtdelen als werkmaatschappijen.

Bezuinigingen

Maar die krijgsmacht wordt eerder kleiner dan groter: bezuinigingen eisen hun tol. Anno 2004 is het totale aantal personeelsleden van het ministerie van Defensie allang geen 75.000 meer, maar er werken nog maar 50.000 beroepsmilitairen en 18.000 burgerwerknemers. Tot 1997 bestond de krijgsmacht uit zo'n honderdduizend man en dat waren bijna allemaal dienstplichtigen. Toen de opkomstplicht was stopgezet en daarmee ook de keuring voor de krijgsmacht werd dat aantal dus snel minder. Weliswaar krijgen nog steeds elk jaar een paar duizend jongeren een brief van het ministerie van Defensie, waarin staat dat ze bij het ministerie geregistreerd staan en dat ze in geval van nood moeten komen opdraven. Dat is wettelijk toegestaan en daar kun je je dus niet tegen verzetten, ook niet als je gewetensbezwaarde bent (iemand die het niet met zijn geweten kan overeenstemmen om wapens te dragen en te gebruiken). Die situatie zou dus kunnen ontstaan als het Nederlandse grondgebied of een NAVO-land ernstig wordt bedreigd. Maar die kans is wel erg klein.

Nederland heeft zo langzamerhand dus een afgeslankte krijgsmacht gekregen. Halverwege 2004 zijn er bijvoorbeeld een stelletje Orion-vliegtuigen van de marine aan Duitsland verkocht en ook pantservoertuigen zijn afgestoten. Kazernes, vliegvelden en marinebases worden gesloten. Militairen zijn nu vrijwillig in dienst getreden, als beroepssoldaten en -matrozen, die gewoon een salaris krijgen en die eenzelfde soort rechten en plichten hebben als iedereen in het bedrijfsleven. En dat klopt ook wel: de krijgsmacht is een bedrijf geworden, waarvan de werknemers bepaalde taken hebben. Daarover gaan we het in het volgende hoofdstuk hebben.

2. De taken en de mensen van de marine

Drie hoofdtaken van de krijgsmacht

We hebben het er in het kort al even over gehad, maar laten we de hoofdtaken van de Nederlandse krijgsmacht (dat zijn Koninklijke Marine, Koninklijke Landmacht, Koninklijke Luchtmacht en Koninklijke Marechaussee bij elkaar) nog eens even onder de loep nemen. Het zijn er dus drie:

1. de krijgsmacht moet het Nederlands grondgebied verdedigen tegen aanvallen van een ander land (*beperkte militaire dreiging* heet dat) en niet alleen het Nederlandse grondgebied, maar ook dat van de bondgenoten. Dus als België bijvoorbeeld door Irak zou worden bedreigd – een vrijwel ondenkbare situatie, maar het is dan ook maar een voorbeeld – dan zouden de Nederlandse strijdkrachten België te hulp moeten schieten. Bovendien moet de krijgsmacht in actie komen tegen *een veelheid van veiligheidsrisico's die diffuus van aard zijn*. Een beetje ingewikkeld gezegd, maar wat men bedoelt, zijn allerlei situaties die de burger of de politie niet kan oplossen. Je zou kunnen denken aan optreden in geval van een terroristische dreiging. Dat kan dan in de vorm zijn van bewaking van allerlei objecten, maar ook in de vorm van echt in actie komen tegen terroristen; daarvoor is zelfs speciaal een eenheid opgericht.

2. de krijgsmacht moet ook internationaal kunnen worden ingezet. Dat wordt *de bescherming en bevordering van de internationale rechtsorde* genoemd. Oftewel: een soort politieagent spelen in gebieden waar zich conflicten voordoen. Ervoor zorgen dat de partijen elkaar niet afmaken. Als je daaraan meedoet, kan dat alleen als je een opdracht krijgt van een interna-

tionale organisatie zoals de Verenigde Naties, de NAVO, de Organisatie voor Veiligheid en Samenwerking in Europa (OVSE) of de West-Europese Unie (WEU). En dan moet dus ook het Nederlandse parlement nog toestemming geven, anders gaat het mooi niet door.

3. *Ondersteuning en hulpverlening bij uitvoering van civiele overheidstaken.* Dat betekent bijvoorbeeld hulp bij wateroverlast: al tijdens de watersnoodramp van 1953 werkten militairen keihard om mensen die door het water in het nauw waren gedreven te redden. Ook tijdens de vliegtuigramp in de Amsterdamse Bijlmermeer en de wateroverlast in Limburg, een paar jaar geleden, kon je militairen bezig zien. Dan zie je militairen bezig met het verlenen van hulp aan mensen die het niet in hun eentje aankunnen en het versterken van dijken met zandzakken. Soms worden er ook tenten uitgeleend of tijdelijke noodbruggen geslagen. Ook bij zoiets als de varkenspest of (als hulppost) bij de Elfstedentocht kom je militairen tegen (alleen is er al een hele tijd geen Elfstedentocht meer geweest...). Speciale kennis en kunde bij de krijgsmacht wordt ook ter beschikking gesteld als die kennis in de burgermaatschappij ontbreekt. Zo is er het Explosieven Opruimings Commando, dat bommen en projectielen uit de Tweede Wereldoorlog onschadelijk kan maken. Dat kan gratis, maar in sommige gevallen verlangt de landmacht een tegenprestatie of een bijdrage in de kosten. Bij die hulpverlening bij uitvoering van civiele overheidstaken hoort natuurlijk ook internationale hulpverlening samen met het ministerie van Ontwikkelingssamenwerking, zoals voedsel- en geneeskundige hulp, taken die dienen om mensen (doorgaans in ontwikkelingslanden) die dringend hulp nodig hebben ook inderdaad met materieel en ondersteuning bij te staan. In feite draagt de Koninklijke Marine veel bij aan die drie hoofdtaken en vooral aan die tweede hoofdtaak, bescherming en bevordering van de internationale rechtsorde. Eenheden van de Koninklijke Marine (KM),

vooral het Korps Mariniers, de zeesoldatren, zoals ze dikwijls worden genoemd, hebben al dikwijls hun waarde bewezen bij vredesbewarende en humanitaire operaties.

Eigen taken

Marineschepen kunnen voor langere tijd overal ter wereld zelfstandig of samen met hun bondgenoten in internationale wateren opereren, zodat ze niet eens grenzen hoeven te overschrijden, maar buiten de territoriale wateren (de strook water die behoort tot het gebied van een land dat aan zee ligt) kunnen blijven. Daarom zijn ze ook bijzonder geschikt om in te zetten bij operaties om de vrede te bewaren of een crisis te beheersen. Eenheden van het Korps Mariniers, de zeesoldaten, kunnen op het land in actie komen en amfibische landingen uitvoeren, dus met voertuigen die zich zowel in het water als op het land kunnen voortbewegen. Het opereren dichtbij land betekent dat de zeestrijdkrachten ook betrokken zijn bij de acties van land- en luchtstrijdkrachten op en boven zo'n land.

De Koninklijke Marine heeft ook eigen taken, die soms samenvallen met de algemene taken van de krijgsmacht, maar soms ook heel speciaal voor een zeemacht zijn bedoeld:

- Bescherming van het grondgebied van de Nederlandse Antillen en Aruba: speciaal voor de marine;
- Handhaving van een vrije zee, en dat is natuurlijk ook alleen op de marine van toepassing;
- Verdediging en ondersteuning van de Nederlandse belangen, waar dan ook ter wereld. Let op: het gaat hier om *Nederlandse* belangen, niet om die van de bondgenoten;
- Het opruimen van explosieven, zoals zeemijnen uit de Tweede Wereldoorlog;
- Verdediging van het eigen gebied en dat van de bondgenoten;
- Bevordering van de internationale rechtsorde en de naleving van de mensenrechten;

- Ondersteuning van burgerlijke autoriteiten bij rechtshandhaving, rampenbestrijding en humanitaire (= menslievende) hulpverlening, zowel nationaal als internationaal. Deze laatste drie taken komen dus overeen met de hoofdtaken van de Nederlandse krijgsmacht.

Hoe werkt de marine?

Fregatten (een type oorlogsschip, we komen daar nog op terug) van de Koninklijke Marine maken permanent deel uit van de NAVO-eskaders in de Atlantische Oceaan en de Middellandse Zee. Die verbanden heten respectievelijk *Standing Naval Forces Atlantic* en *Standing Naval Forces Mediterranean*. Dan is er nog een NAVO-flottielje (een vlooteenheid) dat in het Kanaal opereert en waarvan Nederlandse oorlogsschepen deel uitmaken: de *Standing Naval Forces Channel*. Al die verbanden zijn destijds bedacht om direct als dat nodig is te kunnen ingrijpen. Niet alleen binnen het gebied van de NAVO, maar ook daarbuiten.

Al jarenlang werkt de KM samen met de Belgische Marine en dat betekende op een gegeven moment ook dat het beter was de operationele staven samen te voegen. De vloten van de beide landen werken samen onder het gezamenlijke commando van de Admiraal Benelux. (Luxemburg ligt niet aan zee en heeft dus geen marine.) Het gemeenschappelijke hoofdkwartier van beide marinestaven zit in Den Haag. Ook met de Britse marine werkt het Korps Mariniers samen, zelfs al meer dan dertig jaar, vooral op het gebied van amfibische operaties.

Zoals je hiervoor al hebt gelezen, beschermt de marine ook het grondgebied en de wateren rond de Nederlandse Antillen en Aruba. Daartoe is er permanent een fregat en een bataljon mariniers in 'de West' gelegerd. De kustwacht van Nederland en de eilanden in het Caraïbisch gebied valt operationeel gezien eveneens onder de marine. De kustwacht houdt zich bezig met het opsporen en redden van drenkelingen, het zorgen dat het scheepvaartverkeer zich aan de regels houdt, de visserij-inspectie, het controleren op milieuovertredingen en het bestrijden van illegale activiteiten zoals drugssmokkel. De KM ruimt verder explosieven op, zoals zeemijnen uit de Tweede Wereldoorlog, en doet allerlei metingen in zeeën en oceanen (diepten, stromingen), waarvan de uitkomsten voor het maken van zeekaarten worden gebruikt.

De gewone samenleving

Het is lang niet altijd een makkie naar een oorlogsland te worden uitgezonden en te helpen om de zaak daar in balans te houden en de vrede te bewaren. Daar heb je getrainde en ook evenwichtige mannen en vrouwen voor nodig. Marinemensen, hoe getraind en hoe zorgvuldig geselecteerd ook, zijn natuurlijk ook gewone mensen, die uit een gewone samenleving komen. Ze zijn in dienst van een van de grootste werkgevers van Nederland. Ook die omstandigheid delen ze met vele andere Nederlanders. En dat betekent dat alle bewegingen en veranderingen in de maatschappij ook in de landmacht te merken zijn. Daarom zie je ook vrouwen en allochtonen in uniform, want die zie je natuurlijk in de maatschappij ook. Alleen: met die vrouwen wil het nog niet zo best. Hoewel staatssecretaris Van der Knaap van Defensie een plan heeft gemaakt om de militaire en burgerbanen bij het ministerie van Defensie zo aantrekkelijk mogelijk te maken, lukt dat (nog?) niet zo best. Hij wil in 2010 12 procent vrouwelijke militairen en 30 procent vrouwelijk burgerpersoneel hebben, zo vertelde hij bij een bijeenkomst van vrouwelijke officieren van de Koninklijke Militaire Academie (KMA) in Breda. Maar in 2002 waren er dat nog maar 8,5 procent (militairen) en 22,2 procent (burgers). In 2003 liep het aantal vrouwelijk burgerpersoneel zelfs terug naar 21,6 procent, maar steeg het aantal vrouwelijke militairen naar 8,7 procent. Nog een heel eind verwijderd van die gewenste 12 en 30 procent! Een beetje begrijpelijk is dat wel, die geringe belangstelling van vrouwen voor het leger. Ze treden ten slotte in dienst op een leeftijd dat ze langzamerhand aan een relatie en een gezin toe beginnen te komen. Dan raakt een baan, burger of militair, nogal eens gemakkelijk op de achtergrond.

Ook allochtonen treden niet zo gemakkelijk in dienst van de krijgsmacht. Ten eerste vormen ze natuurlijk nog een minderheid in de Nederlandse samenleving en verder zorgen verschillen in cultuur en maatschappelijke en religieuze opvattingen er ook voor dat ze niet zo gemakkelijk in dienst gaan. Natuurlijk, je vindt wel allochtonen in de krijgsmacht (en er werken bij de geestelijke verzorging ook best islamitische geestelijken, om maar eens iets te noemen), maar het blijven er nog steeds maar weinig.

Werving van personeel

Toch blijft het ministerie van Defensie proberen om vrouwen en allochtonen te stimuleren om in dienst te treden, als militair of als burgerpersoneel. De samenstelling van het personeel moet immers zoveel mogelijk een afspiegeling van de Nederlandse maatschappij vormen. Werving van personeel door middel van televisie, radio en gedrukte media, zoals kranten en tijdschriften, moet ervoor zorgen dat die doelstelling wordt gehaald. De marine heeft immers veel jonge mensen nodig. Op dit moment zijn er ongeveer 13.000 militairen en 4000 burgers in dienst bij de KM en daar gaan er natuurlijk elk jaar toch nog een flink aantal van weg, terug naar de burgermaatschappij of met pensioen. Die zullen dus moeten worden aangevuld en dat betekent dat de marine voortdurend personeel moet blijven werven.

De keuring

Nee, je kunt niet zó maar bij de Koninklijke Marine aankloppen en vervolgens doodleuk in dienst gaan. Je zult moeten worden gekeurd. Daar is een hele organisatie voor in het leven geroepen, het IKS, dat in de Marinekazerne in de Amsterdamse Kattenburgerstraat zetelt. Daar wordt iedereen die bij Landmacht, Luchtmacht, Marine of Marechaussee wil werken onder handen genomen. Want militairen moeten niet alleen lichamelijk in goede conditie zijn, maar ook geestelijk. En daarvoor is een uitgebreide keuring nodig. Het IKS bestaat uit zeer deskundig personeel dat het personeel voor de krijgsmachtdelen, zowel burgers als toekomstige militairen, beoordeelt en levert. De krijgsmachtdelen laten het IKS weten hoeveel en wat voor een soort kandidaten ze nodig hebben en wanneer ze die nodig hebben.

Er solliciteren natuurlijk voortdurend allerlei mensen bij de krijgsmacht en vanaf het moment dat het IKS een sollicitatieformulier ontvangt, begint het selectieproces. Eerst vindt er een administratieve voorselectie plaats. Dat gebeurt bij de diverse krijgsmachtdelen zelf en daar wordt beoordeeld of iemand de juiste leeftijd en opleiding heeft en ook op andere punten geschikt lijkt te zijn. Daarna volgt het psychologisch en tenslotte het geneeskundig onderzoek. Die laatste twee worden door het IKS gedaan. Ook wordt er nog een veiligheidsonderzoek gedaan.

Psychologisch onderzoek

Militair kan een zwaar beroep zijn, dus wil het IKS weten of je daar tegen opgewassen bent, als de nood aan de man komt. Heb je de juiste karaktereigenschappen en de juiste instelling voor het beroep waarnaar je solliciteert? Dat onderzoek gebeurt in twee delen. Eerst moet je een uitgebreide vragenlijst invullen waaruit je persoonlijkheid kan worden afgeleid en mogelijk moet je dan nog een paar tests doen om te zien welke capaciteiten je in huis hebt. Het tweede deel is een interview; een gesprek met een onderzoeker, waar je de gelegenheid krijgt om te vertellen over je leefomstandigheden, waarom je bij de krijgsmacht wilt, wat je bijvoorbeeld in je vrije tijd doet, wat je hobby's zijn, hoe je op school bent geweest en dat soort zaken. Er wordt op die manier een psychologisch profiel van je samengesteld en dat geldt dan voor de functie waarvoor jij solliciteert. Mocht het profiel niet aan die functie voldoen, dan wordt er in overleg met jou gekeken of je voor een andere functie in aanmerking zou kunnen komen of misschien zelfs voor een ander krijgsmachtdeel. Want stel maar eens dat je graag op een onderzeeboot wilt werken, maar dat uit je profiel blijkt dat je veel beter geschikt bent voor hofmeester, bediende in een officiers- of onderofficierskantine. Dan wordt dat aan je voorgelegd en kun je beslissen of dat een goed alternatief voor je is. Als je helemaal geen zin hebt om hofmeester te worden, betekent dat niet meteen dat je nooit meer voor een functie in de krijgsmacht in aanmerking kunt komen. Maar als het advies dat uit de psychologische test komt gunstig is, volgt er een afspraak voor het geneeskundig onderzoek.

Medisch onderzoek

Het geneeskundig onderzoek duurt een dag. Je moet een aantal deelonderzoeken ondergaan:

audiometrie: daarbij wordt je gehoor getest (en dan moet je ervoor zorgen dat je niet de avond tevoren in de disco hebt rondgelopen of de hele avond je discman op hebt gehad;

optometrie: nu zijn je ogen aan de beurt. Je scherpte wordt onderzocht en je vermogen om diepte en kleur te onderscheiden. Als je bril of lenzen draagt, moet je dat van tevoren even melden, met de sterkte erbij. En omdat je ogen zonder bril worden getest, moet je je lenzen minstens twaalf uur vóór het onderzoek uit laten en alleen maar een bril dragen;

biometrie: dat gaat over je lichaam. Hoe lang ben je, hoeveel weeg je, wat is je vetpercentage? Ook wordt er een hartfilmpje gemaakt, een elektrocardiogram, waarmee de toestand van je hart wordt bekeken;

urine: die zegt veel over bepaalde lichaamsfuncties en die wordt dus ook onderzocht;

fysiotherapie: hoe zitten de bewegende en kwetsbare onderdelen van je lichaam in elkaar? De fysiotherapeut kijkt naar je gewrichten en lichaamsdelen die het meest onder zware belasting te lijden hebben, zoals je rug, heupen, voeten, enkels, polsen en knieën;

tandarts: een tandartsassistente controleert de toestand van je gebit en checkt of je regelmatig naar de tandarts gaat;

gesprek: de keuringsarts praat met je over je gezondheid en of er in het verleden iets met je gezondheid aan de hand is geweest en doet een lichamelijk onderzoek. Dat zou aanleiding kunnen zijn om je door te verwijzen naar een specialist of om contact op te nemen met je huisarts of je behandelend specialist;

spierkracht: je zult ook nog even moeten laten testen hoe het met je spieren is gesteld. En dat onderdeel is nogal inspannend, dus moet je dat in sportkleding doen. Je moet aan allerlei krachtmeet- en conditieapparaten werken en na afloop douchen;

uitslag: weer een gesprek met een arts, ditmaal degene die de uitslag gaat geven. Hij of zij neemt samen met jou het hele onderzoek door en als er eventuele onduidelijkheden zijn opgelost, krijg je de uitslag te horen: geschikt, ongeschikt of medisch aanhouden; dat kan gebeuren als ze je nog nader specialistisch willen onderzoeken. Als je ongeschikt wordt verklaard, gaat iemand van de afdeling personeelsvoorziening met je praten over functies waarvoor je mogelijk wel geschikt bent (maar dan moet er wel zo'n functie worden gevraagd).

Je ziet dat het geen kattenpis is en dat je geestelijk en lichamelijk goed in orde moet zijn, wil je beroepsmilitair worden.

Veiligheidsonderzoek

En dan tenslotte het veiligheidsonderzoek. Als je bij de overheid gaat werken, dus beroepsmilitair wilt worden, krijg je een vertrouwensfunctie; daarin moet je met vertrouwelijke en soms zelfs geheime informatie werken. Die informatie kan betrekking hebben op de veiligheid van Nederland, dus schrijft de wet voor dat je een veiligheidsonderzoek moet ondergaan. Daarbij bekijken ze zaken als: heb je een strafblad, ben je lid of steun je activiteiten van een groep die het doel heeft om de democratie in Nederland in gevaar te brengen of die zelfs de veiligheid van het land bedreigt, wat is je persoonlijke gedrag geweest en onder welke omstandigheden heeft dat plaatsgevonden?

Je hoeft alleen maar toestemming voor het veiligheidsonderzoek te geven (je moet dan de zogeheten *verklaring van toestemming* ondertekenen), de rest doet de Militaire Inlichtingen Dienst (MID). Die stuurt je die verklaring en een vragenlijst (*staat van inlichtingen*) die je moet invullen en terugsturen. Eventueel kan de MID nog bij je thuis komen om verder met je te praten. Daarna stuurt de dienst een *verklaring van geen bezwaar* naar het onderdeel waarvoor je hebt gesolliciteerd en dan staat er niets meer in de weg om beroepsmilitair te worden of als burger bij de krijgsmacht in dienst te komen. Als de MID om de een of andere reden geen verklaring van geen bezwaar wil afgeven, wordt je dat persoonlijk door de dienst verteld. Maar dat gebeurt alleen maar als er echt iets behoorlijk mis met je is!

3. Het oudste krijgsmachtdeel: van de Ordonnantie tot de negentiende eeuw

De geboorte van de marine

Nederland heeft door zijn ligging aan zee altijd veel met schepen en scheepsverkeer te maken gehad. Handel en scheepvaart, daar is ons land in de Gouden Eeuw groot mee geworden. De Republiek der Zeven Verenigde Nederlanden was de belangrijkste natie ter wereld en de absolute heerser over de zeeën. Maar om die positie te handhaven en de Nederlanden te beschermen, was er een sterke zeemacht nodig. Dus ook een marine was er al heel vroeg. Nou ja, marine... Dat waren in die tijd nogal plaatselijke eenheden, soms zelfs op particulier initiatief. Schepen die met kanonnen aan boord de zee op gingen om kapers, piraten en concurrenten de grond in te boren; daardoor gaven ze dan handelsschepen de vrije vaart. Ook een manier om zichzelf te beschermen, was het bewapenen van de handelsschepen zelf en het meevaren (*konvooieren*) van bewapende schepen. Soms koos zo'n schip ook de aanval en kaapte een vijandelijk schip (of gewoon een schip dat best wel eens een vijand zou kunnen zijn of worden). Dat leverde natuurlijk een hoop geld op en daar zijn Nederlanders nooit vies van geweest. Sommige stadsbesturen schreven zelfs een soort vergunning uit, de kaperbrief, waarmee een schip toestemming kreeg om andere schepen buit te maken. Dat zootje ongeregeld zou je dan met een hoop fantasie de marine kunnen noemen, maar die was volstrekt nog niet georganiseerd. Toch had Maximiliaan van Habsburg al in 1488 de Ordonnantie op de Admiraliteit uit, waarmee voor het eerst een permanente marineorganisatie voor de Nederlanden in het leven werd geroepen. Dat jaar wordt dan ook als de geboorte van de marine gezien. En daarmee is die meer dan vijfhonderd jaar oud!

De admiraliteitscolleges

De verdediging van de zee was nu wettelijk geregeld; een admiraal, als plaatsvervanger van de vorst, kreeg de leiding. Maar die poging om het toezicht op de oorlogsvaart te vestigen, had in het begin niet veel succes. De eigenwijze Hollanders bleven gewoon doorgaan met het zelf formeren van vloten en daar kreeg de admiraal zijn vinger niet tussen. De Tachtigjarige Oorlog maakte het echter nodig om de marine en het bestuur daarvan eindelijk eens beter te gaan regelen. Toch zou het nog tot 1597 duren voordat de Staten Generaal (vergelijkbaar met onze huidige regering) het beheer over de marine kreeg. Er waren vijf zogenoemde admiraliteitscolleges die de verdediging van de wateren van de Republiek in handen hadden: de Maze, Amsterdam, Zeeland, het Noorderkwartier en Friesland. De colleges werden bestuurd door de Heren Raden ter Admiraliteit. In feite had de Prins van Oranje, als admiraal-generaal, de supervisie over al die admiraliteitscolleges, maar hij had het druk genoeg en liet zich in het algemeen door een luitenant-admiraal vertegenwoordigen. Verder waren er nog een advocaat-fiscaal en een secretaris, die zorgden voor het bestuurlijke reilen en zeilen van de colleges en daarmee van de zeestrijdkrachten.

In de praktijk was de admiraliteit van Amsterdam de baas en die nam dan ook het merendeel van alle beslissingen en vrijwel alle maritieme operaties onder haar hoede. En dat was nogal wat: innen en beheren van de in- en uitvoerrechten (want het ging natuurlijk weer in de eerste plaats om het geld), het konvooivaren, het afgeven van vergunningen en het benoemen van de lagere officieren; de vlagofficieren (die heten bij de land- en luchtmacht opperofficieren) werden door de stadhouder of de Staten Generaal aangesteld. Ook moesten de admiraliteitscolleges rechtspreken bij zware delicten, de opbrengst van buitgemaakte schepen regelen en zorgen voor het bouwen, onderhouden en uitrusten van de oorlogsvloot. Er werd een netwerk van kantoren, scheepswerven en magazijnen opgezet en zo was er een echte marine ontstaan.

De oorlog op zee

Het is halverwege de zeventiende eeuw. Nederland is een rijke en machtige natie, centrum van de wereldhandel en met een enorme en goed uitgeruste vloot, die alle wereldzeeën bevaart. De buurlanden zijn jaloers op dat succes en al die rijkdom en doen alle mogelijke moeite om de Republiek tegen te werken. Zoals het instellen van hoge invoerrechten en belastingen, waardoor de buitenlandse handel voor de Republiek een stuk duurder en dus ook een stuk minder aantrekkelijk werd. En dat lieten ze niet op zich zitten in Nederland: er kwam oorlog van, vooral met Engeland, dat verschrikkelijk zijn best deed om de Republiek zoveel mogelijk economische schade toe te brengen. Enkele oorlogen met Engeland leidden tot het opbouwen van een uiterst krachtige oorlogsvloot, want de oorlogen werden op zee uitgevochten, omdat de Noordzee en het Kanaal nu eenmaal tussen Engeland en Nederland in lagen en omdat die wateren vreselijk belangrijk voor de Nederlands economie waren. Daar moesten ze immers doorheen varen, op weg naar verre landen om daar handel te drijven.

Nederland won de oorlogen steeds weer, juist door die sterke vloot en de kundige admiraals. De Engelsen probeerden de Nederlanders de vrije doorgang te beletten, maar de vloot, onder leiding van Maarten Harpertszoon Tromp wist het Kanaal open te houden. Tijdens de Tweede Engelse Oorlog (1665-1667) werden er vijf grote acties onder de Engelse kust uitgevoerd en ondernam Michiel Adriaenszoon de Ruyter de beroemde tocht naar het Engelse Chatham, waarbij zijn vloot een over de rivier de Theems gespannen ketting doormidden voer en het vlaggenschip van de

Engelsen buitmaakte. In 1665 kwam er een nieuw fenomeen aan boord: het zogenoemde Regiment van de Marine, dappere, uitstekend getrainde en vechtlustige zeesoldaten, die ook nu nog bestaan en die tegenwoordig als Korps Mariniers door het leven gaan.

Er zou nog een Derde Engelse Oorlog volgen, maar de Vrede van Westminster in 1674 maakte een einde aan de voortdurende oorlogen tussen de twee kemphanen. Er brak nu een nieuw tijdperk aan. De Nederlandse stadhouder Willem III werd tot koning van Engeland gekroond en nu streden de Engelsen en de Nederlanders gemeenschappelijk tegen de Fransen, die op zoek waren naar gebiedsuitbreiding en die behoorlijk begonnen op te dringen. Daarbij kwam de marine niet alleen meer in de Noordzee en het Kanaal, maar ook aan de Franse kust en in de Middellandse Zee, waar respectievelijk tegen de vloot van Lodewijk XIV en tegen de Barbarijse zeerovers werd opgetreden.

Verstrengeling van belangen

In die dagen was het verschil tussen marine en koopvaardij soms ver te zoeken. De eskaders van de 'Staatse vloot' werden versterkt met bewapende koopvaardijschepen en zo waren de belangen van marine en koopvaardij op het gebied van scheepsbouw en bemanningen dus al gauw verstrengeld. Maar het werkte wel. De invoering van de linietactiek, waarbij de schepen in oorlogssituaties op één lijn voeren, maakte het noodzakelijk om allemaal dezelfde soort schepen te hebben: wendbaar, met veel zeilcapaciteit en daardoor veel snelheid. In 1653 besloten de Staten dan ook zestig schepen te bouwen en een jaar of tien later nog eens zestig. In de tweede helft van de zeventiende eeuw betekende dit dat de marine over een grote vloot van honderd linieschepen, fregatten en lichtere schepen beschikte. Het vlaggenschip van admiraal De Ruyter was de Zeven Provinciën.

De marine had toen zo'n drie- tot vierduizend zeelieden in dienst en bij oorlogsdreiging werden er nog eens duizenden aangemonsterd; dat was de verantwoordelijkheid van de vlagofficieren en de scheepskapiteins. Die kapiteins waren vaak in dienst van de admiraliteit, tegen een vast jaarsalaris; die werden de *ordinariskapiteins* genoemd. Ze kregen voor de verzorging van de schepelingen zeven stuivers per man per dag, de zogenoemde *kostpenningen*, en door die slim te besteden (zeg maar: door zeer zuinig in te kopen en dus de bemanningen niet bepaald te verwennen), konden de kapiteins heel wat geld overhouden. Die schepelingen kwamen vooral uit de mindere bevolkingsgroepen en de multinationale bevolking van de havensteden en die waren natuurlijk ook niet zo veel gewend. Ja, het ging goed met de Republiek en het ging goed met de marine. De Nederlanden waren de baas op alle zeeën.

Onder de Fransen

Maar het feest kon natuurlijk niet eeuwig duren. In de achttiende eeuw nam Engeland langzamerhand de heerschappij ter zee over van de Republiek der Zeven Verenigde Nederlanden. De Vierde Engelse Oorlog van 1780 tot 1784 verloren we smadelijk en daarmee was de neergang van de Republiek begonnen. Bij de Vrede van Parijs verloren wij ook al het alleenrecht van de vrije vaart door de Oost-Indische wateren en dat was dan dat. Wel werden er voor de marine allerlei hervormingsmaatregelen voorgesteld, onder andere door de marineofficier Jan Hendrik van Kinsbergen, maar die werden pas tijdens de Bataafse en Franse tijd (1795-1813) ingevoerd. In die periode veranderde er erg veel. De vijf admiraliteiten werden tot één centrale organisatie omgevormd. Dat werd later zelfs een ministerie, dat in Den Haag zetelde. De samenstelling van het officierskorps werd veranderd; de nieuwe machthebbers, die de Bataafse republiek – tegen alles wat Oranje was – hadden uitgeroepen, wilden geen Oranjegezinde zeeofficieren en die werden dus ook niet meer aangenomen. De opleiding van de adspirant-zeeofficieren, die tot dan toe op de schepen zelf plaatsvond, werd verplaatst naar de wal, waar vanaf die periode de adelborsten werden getraind.

Er hoefde geen oorlog ter zee meer te worden gevoerd en de oorlogsschepen bleven aan de wal liggen. Een aantal ervan konden stadhouder Willem V volgen, die voor de anti-Oranjeklanten naar Engeland was gevlucht. Een ander aantal schepen werd in de Indische wateren door de Engelsen gekaapt, net zoals de Nederlanders dat vroeger met Engelse schepen hadden gedaan. De marine kreeg een koekje van eigen deeg! Zelfs werd in 1796 in de Saldanhabaai aan de zuidwestkust van Zuid-Afrika een compleet eskader buitgemaakt. Een jaar later verloor de marine van de Bataafse Republiek opnieuw een zeeslag, bij Kamperduin. Toen de Bataafse vloot zich in 1799 op de Vlieter zelfs compleet moest overgeven, was dat wel het einde van de marine. Toen Nederland in 1810 onderdeel van het Franse keizerrijk werd, werd de marine volkomen aan banden gelegd.

Weer zelfstandig

Het zou tot 1813 duren voordat de marine weer zelfstandig werd. Op 7 december van dat jaar werd J.C. van der Hoop tot commissaris-generaal van de marine benoemd; hij zou het later tot minister van Marine brengen. Onder zijn leiding werd de marine weer een zelfstandige organisatie. De naam werd veranderd in Koninklijke Nederlandse Zeemacht (Nederland had inmiddels immers een koning gekregen, Willem I) en die naam werd in 1905 Koninklijke Marine, zoals het krijgsmachtdeel nog heden ten dage heet. En ook de opvolgers van Van der Hoop (meestal oud-marineofficieren) kregen geld om de marine weer op poten te zetten. Dat was in het begin nog niet zoveel, zes miljoen gulden (dat zou tegenwoordig zo'n 2,7 miljoen euro betekenen, maar de vergelijking gaat natuurlijk niet op, omdat de gulden toen veel meer waard was). Later werd het budget (een door derden ter beschikking gesteld geldbedrag, waaruit een project moet worden betaald) steeds groter; in de negentiende eeuw was er al sprake van negen miljoen gulden (ongeveer 4,1 miljoen euro).

Er werd een nieuwe taakverdeling ingesteld. De meeste vestigingen van de marine aan de wal (de kantoren, scheepswerven en magazijnen uit de tijd van de admiraliteitscolleges) werden weliswaar om financiële redenen voorlopig nog gehandhaafd, maar de nieuwe organisatie begon zich al af te tekenen. Den Helder – toen nog Willemsoord geheten – werd langzamerhand de belangrijkste vlootbasis van ons land. Dat werd na de Tweede Wereldoorlog (1940-1945) officieel.

4. Een modern krijgsmachtdeel: van stoomschip tot onderzeeboot

Snelle ontwikkelingen

De negentiende eeuw werd voor de marine vooral gekenmerkt door gebrek aan personeel. Men moest overal bemanningen vandaan zien te peuteren en zo kwamen er nogal wat Indische mensen aan boord van marineschepen terecht en ook werd er geput uit het arsenaal van de 'zeemiliciëns', oftewel de mariniers. Er was steeds meer personeel nodig en rond 1900 waren er al zo'n 10.000 mensen bij de marine in dienst, waarna het personeelsaantal weer langzaam terugliep. Er werd een aparte officiersopleiding ingesteld, het Koninklijk Instituut voor de Marine (KIM), en daarmee kwam er ook langzamerhand een professioneel officierskorps op gang. Mensen tekenden steeds weer bij, waardoor er een hechte club van marinemensen ontstond, met een grote kennis van zaken en veel gemotiveerdheid (daar waren de verbeterde arbeidsomstandigheden trouwens ook een grote oorzaak van). Er werden aparte korpsen geïntroduceerd, zoals de Stoomvaartdienst, want het zeiltijdperk begon snel voorbij te gaan, sinds de stoommachine in opkomst was gekomen. De uitvinding van de scheepsschroef aan het einde van de jaren dertig van de negentiende eeuw maakte de weg vrij voor stoomvoortstuwing; de ontwikkelingen gingen nu snel!

Het linieschip was in het midden van de negentiende eeuw van het toneel verdwenen en het ene scheepstype na het andere kwam en ging weer. Houten schepen werden vervangen door ijzeren en er kwamen gepantserde schepen, want de scheepsartillerie was inmiddels ook sterk verbeterd en daarom was het meer dan ooit zaak je tegen vijandelijk vuur te beschermen. Er kwamen nieuwe wapens: torpedo's en mijnen, zowel voor de aanval als voor de verdediging, dus moesten er ook torpedomakers komen. Er kwamen machinisten aan boord, die de nieuwe stoommachines moesten bedienen en onderhouden. Er kwamen bedieners van de nieuwe scheepsartillerie, kortom, de techniek maakte nieuwe schepen en nieuwe functies noodzakelijk. Al in 1917 werd de Marine Luchtvaartdienst opgericht en rond 1920 kwamen de eerste marinevliegers in dienst.

Kleinere kanonneerboten deden dienst bij de kustverdediging, pantserschepen, torpedoboten, kruisers en onderzeeboten deden hun intrede. De grote slagschepen *(dreadnoughts)*, zoals die in Engeland werden gebouwd, vonden in Nederland geen aftrek, want na de Eerste Wereldoorlog (1914-1918) riep iedereen dat er nooit meer oorlog zou komen; dat er zo'n twintig jaar later wéér een verwoestende wereldoorlog zou uitbreken, wist men toen natuurlijk nog niet. Er werd dus ook flink bezuinigd op de defensie-uitgaven en met name de marine kreeg het zwaar te verduren. Zo werd per 1 september 1928 het ministerie van Marine opgeheven en bij het nieuwe ministerie van Defensie ondergebracht. De marine bleef neutraal op een enkel incident na: de gevechten tegen de Zuidelijke Nederlanden van 1830-1832, toen die zich wilden afscheiden van de Noordelijke Nederlanden (wat tenslotte ook lukte en waaruit België ontstond). Daarbij stak Van Speijk de lont in het kruitmagazijn van zijn hevig belaagde kanonneerboot, die uiteraard in de lucht vloog, mét Van Speijk. Volgens de overlevering zou de wanhopige man 'Dan liever de lucht in!' hebben geroepen, maar of hij dat nou riep tijdens zijn vlucht of ervoor heeft niemand ooit kunnen zeggen...

Nederlands-Indië

In die tijd verschoof de aandacht van de marine ook van het eigen land naar Nederlands-Indië. Daar waren al vanaf 1783

Nederlandse marine-eskaders heen gestuurd om de handel en wandel van de Verenigde Oostindische Compagnie (VOC) te ondersteunen en te beschermen. En nu de activiteiten van de marine in Nederland tot kustbewaking beperkt bleven, kon een groot deel van de vloot dus naar Nederlands-Indië opstomen, waar de marinemannen zich bezighielden met het verdedigen van het gebied en het bestrijden van zeeroverij. Er bestond al een zelfstandige Koloniale Marine in dat gebied en daar voegde zich een hulpeskader uit Nederland bij. Maar al spoedig kwamen er meer marine-eenheden uit het vaderland naar Nederlands-Indië en in de tweede helft van de negentiende eeuw zat wel zestig procent van de marine in 'de Oost'.

Nederland bleef echter niet neutraal. Tijdens de Tweede Wereldoorlog is de marine actief geweest, geleid vanuit het ministerie van Marine (dat opnieuw zelfstandig was geworden) in Londen en marinehoofdkwartieren op Ceylon (tegenwoordig Sri Lanka) en in Australië. De operaties vonden vrijwel altijd plaats samen met de geallieerden, de landen die tegen Duitsland en zijn bondgenoten vochten. De marine opereerde in Nederlands-Indië tegen de Japanners, waar zware verliezen werden geleden. Bekend is de Slag in de Javazee op 27 en 28 februari 1942, toen een geallieerde marine-eenheid onder bevel van schout-bij-nacht Karel Doorman enorme verliezen leed. Er gingen twee kruisers verloren, waaronder het vlaggenschip Hr.Ms. ('Harer Majesteits', een voorvoegsel voor alle namen van marineschepen) De Ruyter, verder een torpedobootjager en maar liefst 1000 man. Daar was ook Karel Doorman zelf bij. Alweer volgens de overlevering zou hij vanaf zijn vlaggenschip 'Ik val aan, volg mij!' naar de andere schepen hebben geseind en vervolgens tegen de Japanners zijn opgestoomd, maar er zijn nog maar heel weinig mensen over die die heldhaftige daad kunnen bevestigen!

Na de oorlog

Toen de oorlog voorbij was, werd al gauw duidelijk dat het Nederlandse gezag in Nederlands-Indië tot het nulpunt was gedaald. Het land wilde eindelijk onder de Nederlandse overheersing uit, zelfstandig worden. En de Japanners hadden zich nog geen twee dagen overgegeven of de Indonesische nationalisten onder leiding van Sukarno riepen de onafhankelijke Republik Indonesia uit. Nederland was echter niet van plan om zijn winstgevende inkomstenbron zonder slag of stoot op te geven en stuurde militairen naar het land om het weer onder de duim te krijgen. 'Politionele acties' werden die genoemd, maar het was natuurlijk gewoon oorlog. De marine deed daar ook aan mee, door de infiltraties van vrijheidsstrijders in gebieden die onder het Nederlandse gezag stonden te bestrijden en meer van dat soort taken. Daar hoorde bijvoorbeeld ook nog steeds de bestrijding van de zeeroverij bij, en bovendien de controle op de smokkel van wapens, de bescherming van een veilige vaart op zee en de verlening van steun aan het leger, bijvoorbeeld bij grootscheepse landingen. Dat leger hield trouwens behoorlijk huis in het land en de internationale stemming keerde zich al spoedig tegen Nederland. In 1949 werden we onder zware internationale druk gedwongen de soevereiniteit van de nieuwe republiek te erkennen en ons uit het land terug te trekken. Daarmee verloor de marine haar voornaamste werkterrein in dat deel van de wereld. Er was nog een gebied in die streken waar Nederland nog de baas was: Nieuw-Guinea. Ook daar was de marine aanwezig, maar in bescheiden mate; vooral de luchtmacht was er gelegerd. Toen we in 1962 ook Nieuw-Guinea prijs moesten geven, verdween de Nederlandse krijgsmacht geheel uit de Oost.

De Koude Oorlog

In de Koude Oorlog, rond de helft van de twintigste eeuw, stonden twee wereldmachten lijnrecht tegenover elkaar: Amerika en Rusland. Er werd aan beide kanten als gekken bewapend (de wapenwedloop) en zo bang als de West-Europese landen waren voor een inval door de Russen, waren de Russen dat voor een inval door de Amerikanen. De twee mogendheden stonden als blaffende honden tegenover elkaar, zonder overigens te bijten; er werd niet naar de wapens gegrepen, maar men had ze wel als afschrikking bij de hand (vandaar ook de term Koude Oorlog). De Westerse landen vormden in 1949 het bondgenootschap NAVO (Noord-Atlantische Verdrags Organisatie) als schild tegen de dreiging uit het Oosten, de andere kant kwam in 1955 met het Warschau Pact, om zich tegen het Westen te verdedigen. In de NAVO voerden leger en luchtmacht de boventoon, de marine kwam er nauwelijks aan te pas. Pas na de Korea-oorlog (1950-1953) kreeg de zeemacht meer aandacht en de politiek steunde die ontwikkeling door geld ter beschikking te stellen voor het opbouwen van twee smaldelen (een grote marine-eenheid). Daar maakte toen nog een vliegdekschip deel van uit, de Hr.Ms. Karel Doorman, die later aan Argentinië is verkocht en tijdens de Falkland-oorlog tussen Engeland en Argentnië tot zinken werd gebracht. Ook bevatten de smaldelen twee kruisers, twaalf onderzeebootjagers, acht onderzeeboten, een flink aantal mijnenvegers en enkele tientallen vliegtuigen van de Marine Luchtvaart Dienst.

De Nederlandse marine werkte nauw samen met de andere leden van de NAVO en maakte deel uit van de *Standing Naval Force Atlantic*. Ook moest de KM mee met de technische innovaties die elkaar tijdens de wapenwedloop tussen Oost en West in snel tempo opvolgden: er kwam sonar (opsporing van onderzeeboten via geluidssignalen) en radar, er kwamen tactische kernwapens, er kwamen lange-afstandsraketten. Vrouwen waren toen al een hele tijd in dienst van de marine: in 1944 traden de eerste Marva's (Marine Vrouwen Afdeling) in dienst, toen nog alleen aan de wal en voornamelijk in administratieve functies. Rond 1980 kwamen ze ook aan boord van de schepen, dus in oorlogsfuncties, terecht.

Een nieuwe taak

Eigenlijk was de Koude Oorlog in één klap afgelopen toen in november 1989 de Berlijnse Muur viel. De muur liep dwars door de voormalige Duitse hoofdstad en was het symbool van de scheiding tussen Oost en West geworden. De communistische regeringen stortten in elkaar en plotseling hadden we geen vijand meer. Maar er ontstonden wel kleinere conflicten in allerlei landen. De Verenigde Naties kwamen meer op de voorgrond terecht als handhaver van de wereldvrede en de NAVO werd het instrument om die vrede met militaire middelen te bewaren. De Koninklijke Marine kwam ook in het geweer, in vredesoperaties. Eerst in het Midden-Oosten, later in Cambodja in het Verre Oosten en in Eritrea en Ethiopië in Oost-Afrika. Ook tijdens de Golfoorlog van 1990-1991 trad de KM in NAVO-verband op en tijdens het Joegoslavië-conflict waren Nederlandse oorlogsschepen in de Adriatische Zee te vinden. De marine had zich al spoedig in haar nieuwe taak geschikt.

De nieuwe taken leidden onherroepelijk tot aanpassing van het personeels- en materieelbeleid. De dienstplicht werd opgeschort, de marine langzamerhand ingekrompen en tegelijkertijd gemoderniseerd en beweeglijker gemaakt. Het nationale karakter van de KM ging op in de gemeenschappelijke internationale taken en dat is tot op heden zo gebleven.

De musea

Een rijke historie van meer dan vijf eeuwen. Die kun je ook gaan bekijken: de Koninklijke Marine heeft twee musea. In Den Helder staat het Marinemuseum, waar de historie van 1488 tot heden te bewonderen is. Er zijn scheepsmodellen, schilderijen, uniformen, wapens en werktuigen te zien en er worden op verzoek oude en nieuwe films over de marine vertoond. Ook worden er regelmatig wisselende tentoonstellingen gehouden en naast het museum liggen drie marineschepen, die je kunt bezichtigen: het ramschip Schorpioen uit 1868, de mijnenveger Abraham Crijnssen uit 1937 en de onderzeeboot Tonijn uit de zogenoemde driecylinderklasse uit 1966. Adres: Hoofdgracht 3, 1781 AA Den Helder, telefoon (0223) 65 75 34. Het museum is geopend van dinsdag tot en met vrijdag van 13.00 tot 16.30 uur, in juni, juli en augustus ook op maandag van 13.00 tot 17.00 uur.

De geschiedenis van het Korps Mariniers kun je zien in het Mariniersmuseum in Rotterdam, de stad waar de mariniers zo moedig stand probeerden te houden tegen de Duitse invallers in de Tweede Wereldoorlog. Hier kun je je even marinier voelen in een 'levensechte' omgeving, van entergevecht tot internationale vredesmissie. Er zijn ook regelmatig wisselende tentoonstellingen. Het Mariniersmuseum bevindt zich aan de Wijnhaven 7-11 (vlakbij NS-station Rotterdam-Blaak), 3011 WH Rotterdam, telefoon (010) 412 96 00. Het museum is geopend van dinsdag tot en met zaterdag van 10.00 tot 17.00 uur, op zon- en feestdagen van 11.00 tot 17.00 uur en het is op nationale feestdagen gesloten.

5. De organisatie van de Koninklijke Marine

Expeditioneel optreden

We hebben het al even gehad over het feit dat de operationele eenheden van de Koninklijke Marine overal ter wereld missie uitvoeren. Als ze dat gedurende langere tijd zelfstandig doen, hebben we het over *expeditioneel optreden*. (Denk maar aan het woord expeditie.) 'Zelfstandig' betekent dan dat de eenheden voor wat betreft hun verzorging volledig onafhankelijk zijn van het gebied waar ze bezig zijn. Het voedsel en al het nodige materieel worden vanuit Nederland aangevoerd. En zowel voor de schepen als voor het Korps Mariniers is dat expeditionele optreden erg belangrijk.

Drie terreinen

De Koninklijke Marine opereert op drie terreinen: op het water (de schepen), boven het water (de vliegtuigen) en onder het water (de onderzeeboten). Het ene heeft alles met het andere te maken, vooral in oorlogssituaties, als er geweld moet worden gebruikt. Omdat marineschepen zelden alleen opereren, maar altijd in groepen, zijn er binnen de KM *taakgroepen* samengesteld. Zo'n taakgroep bevat de mensen en het materieel waarmee een bepaalde taak het beste kan worden volbracht. Dat betekent ook dat er voor elke taak een speciale taakgroep wordt gevormd. Die wordt dan samengesteld uit schepen van de Groep Eskaderschepen (GES) en zo nodig aangevuld met eenheden uit de Groep Maritieme Helikopters, de Onderzeedienst, de Mijnendienst en de Groep Maritieme Patrouillevliegtuigen. Eventueel hoort er ook een bevoorradingsschip bij en soms gaat er een amfibisch transportschip met een bataljon mariniers mee.

In het algemeen bestaat een taakgroep uit fregatten en een bevoorradingsschip, helikopters, maritieme patrouillevliegtuigen en onderzeeboten. Maar dat is geen regel: een taakgroep wordt samengesteld aan de hand van de dreiging die er is en de taken die daaruit voortkomen. Zo'n groep kan zelfstandig optreden, maar ook samen met bondgenoten.

De Groep Escorteschepen

De ruggengraat van de vloot is de Groep Escorteschepen: zestien fregatten, twee bevoorradingsschepen en het amfibisch transportschip. Escorte betekent begeleiding en dat is zo gekomen doordat in de tijd van de Koude Oorlog, van 1949 tot 1989, die groep werd gebruikt om koopvaardijvaartuigen te begeleiden. Dat waren dan zogenoemde *high value targets*, hoogwaardige doelen voor de vijand; die vijand was toen Rusland, vonden wij hier in het Westen. Die dreiging is voorbij en de noodzaak om koopvaardijschepen te escorteren is er dus ook niet meer, maar de naam is gebleven.

We komen later nog op het materieel van de Koninklijke Marine terug, maar willen alvast even in het kort op de taken van de verschillende schepen ingaan. Een *geleidewapenfregat* is speciaal uitgerust voor de luchtverdediging en bovendien zijn ze geschikt om als commandoschip op te treden. De *luchtverdedigingsfregatten* hebben een standaard luchtverdedigingssysteem en lijken veel op de geleidewapenfregatten, maar hebben geen helikopterplatform. De belangrijkste taak van de *standaardfregatten* is de onderzeebootbestrijding en daarvoor hebben ze sonarapparatuur aan boord, waarmee ze door middel van onder water teruggekaatste geluidsgolven hun doelen kunnen opsporen. Dan zijn er ook nog M-fregatten. De M is van *multi purpose*, voor meer doeleinden geschikt. Die kunnen zowel onderzeeboten opsporen en aanvallen (daarvoor hebben ze ook sonar) als luchtverdediging doen en oppervlakteschepen bestrijden. De *bevoorradingsschepen* doen wat de naam zegt: marineschepen die soms lange tijd op zee moeten verblijven van nieuwe voorraden voorzien, brandstof, levensmiddelen en munitie. Ook een amfibisch transportschip is van belang. Het kan voor allerlei taken worden gebruikt: als commandoschip, om troepen te vervoeren, om mensen te evacueren en om rampen te bestrijden. Zo'n schip kan een heel bataljon mariniers met voorraden en wapens vervoeren en ook nog eens een keer zes helikopters.

De onderzeedienst

De onderzeeboten van de Koninklijke Marine worden vooral voor verkenningen gebruikt, maar ook dienen ze wel als oefendoel (zeg maar schietschijf!) voor fregatten, helikopters en vliegtuigen van de KM. Maar dat is alleen in vredestijd. In oorlogstijd moeten ze vijandelijke onderzeeboten en oppervlakteschepen opsporen en aanvallen. Dat gebeurt dan vooral in gebieden die moeilijk te bereiken zijn voor fregatten en vliegtuigen. Onderzeeboten zijn uitgerust met allerlei moderne opsporingsapparatuur en wapensystemen. Hoewel ze vooral vanuit de marinehaven Den Helder opereren, zie je ze ook vaak vanuit Engelse havens uitzwermen; dat in verband met de Engels-Nederlandse samenwerking op marinegebied. Ook oefenen ze dikwijls in de wateren rond Schotland en Noorwegen, omdat die veel dieper zijn dan het water voor de Nederlandse kust en omdat ze daar hun inrichtingen om torpedo's af te schieten beter kunnen afregelen. Bovendien is het nogal druk op de Noordzee en wijken de onderzeeboten dus liever uit naar stiller water. Als ze dat doen zijn ze meestal in gezelschap van een zogenoemd torpedowerkschip, dat als doelwit voor de torpedo's wordt gebruikt. Overigens worden de torpedo's natuurlijk niet op het schip gericht; ze schieten er onderdoor.

Het Korps Mariniers

Een al behoorlijk oud onderdeel van de KM: het Korps Mariniers werd al in 1665 opgericht. Maar het bestaat zeker niet uit bejaarden, maar uit jonge, uitstekend opgeleide en getrainde militairen. Het telt zo'n 3000 man en opereert over de hele wereld. De marinier is overal direct inzetbaar als onderdeel van de amfibische NAVO-strijdkrachten. Maar ook wordt hij ingeschakeld bij de bescherming van de Nederlandse Antillen en Aruba. Daarnaast geldt net als bij andere krijgsmachtdelen ook voor de mariniers dat ze inzetbaar zijn voor humanitaire hulp en vredestaken. En dan hebben ze nog een taak, die je niet zo gauw zou verwachten: het Korps Mariniers zorgt binnen de KM voor de fysieke, militaire en zelfs ceremoniële opleiding en training van het marinepersoneel. Ook onder het korps valt de BBE (Bijzondere Bijstandseenheid) die op verzoek van het ministerie van Justitie kan opdraven.

Evenals de rest van de marine werkt het Korps Mariniers nauw samen met hun Engelse collega's. Het eerste mariniersbataljon vormt samen met Engelse mariniers de *UK/NL Amphibious Landing Force*. Zij voelen zich thuis in bergachtige en in vrieskoude streken. Het tweede mariniersbataljon is onderdeel van de *Allied Command Europe Mobile Force* (land). Die worden het eerst ingezet bij een crisis in Europa. Dan is er nog een derde bataljon, maar dat wordt alleen opgeroepen als daar behoefte aan bestaat; die eenheid is *mobilisabel*. Het vierde bataljon zit op de Nederlandse Antillen en Aruba.

De Marineluchtvaartdienst

We schreven het al: op, boven en onder het water. De schepen erop, de onderzeeboten eronder en in de lucht zitten de vliegtuigen van de Marineluchtvaartdienst (MLD): de P3C Orions. Dat zijn vliegtuigen die vlootbewegingen moeten volgen en vijandelijke eenheden opsporen en uitschakelen. Bovendien fungeren ze als kustwacht met hun lange-afstandvliegtuigen en Lynx helikopters. Die vliegtuigen voeren lange vluchten uit boven zee en land en leggen daarbij enorme afstanden af. De belangrijkste taak is daarbij toch het opsporen van onderzeeboten en daarvoor hebben de vliegtuigen moderne apparatuur aan boord, waarmee geluiden kunnen worden opgepikt en op een scherm zichtbaar gemaakt. Die beelden kunnen ook naar andere vliegtuigen en naar schepen worden doorgeseind. Verder hebben de Orions doelzoekende torpedo's aan boord waarmee oppervlakteschepen, maar vooral onderzeeboten kunnen worden bestookt.

In Nederland opereerden ze vanaf Marinevliegkamp Valkenburg, maar dat is inmiddels ten prooi gevallen aan de bezuinigingsdrift van de regering. Het vliegveld en de twee vliegende squadrons 320 en 321 zijn per 14 januari 2005 opgeheven. Dertien Orions zijn (voor wel érg weinig geld) aan Duitsland en Portugal verkocht en dat betekende dus een enorme klap voor de MLD. Het marinevliegkamp blijft nog anderhalf jaar na 14 januari operationeel; die tijd wordt gebruikt om Duitsers met de vliegtuigen te leren omgaan. Daarna wordt het vliegveld gesloopt en verrijzen er woningen op die plek. Dat de Orion die permanent op de NAVO-basis Kevlavik in IJsland is gestationeerd ook in de bezuinigingsronde meegaat, lijkt wel zeker. En dat geldt ook voor de twee die in het Caraïbisch gebied rondvliegen om de kust te bewaken en bijvoorbeeld drugssmokkelaars op te sporen en schepen en mensen in nood op te sporen en te redden: *search and rescue*.

Maar er zijn nog helikopters bij de MLD over. Die worden ook veel voor search and rescue gebruikt, maar kunnen ook vanaf schepen opereren en zijn dan uitgerust met apparatuur voor onderzeebootbestrijding. Verder doen ze dienst als transportheli's. Of de hele MLD eigenlijk op de lijst staat om te worden opgeheven, is op het moment dat we dit schrijven nog onzeker.

De Mijnendienst

De naam zegt het al: de Mijnendienst moet het water vrij van mijnen houden. Er zijn mijnenjagers en duikvaartuigen. Ook zijn er bij de dienst duik- en demonteergroepen die door vissersschepen opgeviste mijnen onschadelijk kunnen maken. Dat is een erg gespecialiseerd vak en daarom bestaat er ook een mijnenbestrijdingsschool in het Belgische Oostende, die gezamenlijk door de Nederlandse en Belgische marine wordt gedreven. Belgische en Nederlandse instructeurs geven daar les aan militairen van allerlei NAVO-landen en natuurlijk in het bijzonder aan Nederlanders en Belgen. Er is een Nederlandse mijnenjager permanent bij het NAVO-mijnenbestrijdingsflottielje (een gedeelte van een vloot) ingedeeld. Ook kunnen schepen van de dienst om bijvoorbeeld gezonken schepen of overboord geslagen lading op te sporen.

De Dienst der Hydrografie

Op zee heb je geen herkenningspunten en dus is het goed de weg kunnen vinden van levensbelang. Aan navigeren wordt bij de KM dan ook erg veel aandacht besteed. De Dienst der Hydrografie ('hydrografie' betekent zoiets als 'het water beschrijven') maakt zeekaarten voor zowel de marine als voor de beroeps- en pleziervaart in het burgerleven. De dienst beschikt over twee hydrografische schepen die actief zijn in de Nederlandse wateren en die van de Nederlandse Antillen en Aruba. Ook wordt er oceanografisch onderzoek gedaan. Kennis van zeestromingen en de samenstelling van het zeewater is erg belangrijk voor de bestrijding van onderzeeboten en mijnen. Het onderzoek wordt ook ter beschikking gesteld van burgerinstituten op het gebied van meteorologie en oceanografie.

De Kustwacht

Die eenheid is niet helemaal exclusief van de Koninklijke Marine, maar een samenwerkingsverband van een heleboel ministeries: die van Binnenlandse Zaken, van Justitie, van Verkeer & Waterstaat, van Defensie, van Financiën en van Landbouw, Natuurbeheer en Visserij. De taak van de Kustwacht ligt vooral op het gebied van toezicht, en wel op de handhaving van de wetgeving op en boven zee. Bovendien heeft de eenheid een dienstverlenende taak, zoals reddingsacties. Eenheden van de marine, schepen van de Koninklijke Nederlandse Redding Maatschappij (KNRM) en zelfs reddingsdiensten van de landen om ons heen die ook aan de Noordzee liggen, helpen vaak mee met reddingsacties. Een internationale en ook uit diverse onderdelen bestaande club dus. In elk geval heeft de KM wel de operationele, dagelijkse leiding van de Kustwacht, die in het Kustwachtcentrum in IJmuiden is gestationeerd.

De rangen

De Koninklijke Marine en het Korps Mariniers kennen rangen en standen, onderverdeeld in *matrozen/mariniers, korporaals, onderofficieren* en *officieren*. Die laatsten zijn dan weer onderverdeeld in subalterne officieren, hoofdofficieren en opperofficieren. Omdat de marine al zo'n oud krijgsmachtdeel is, zijn de namen van de verschillende rangen dikwijls afkomstig van de aanspreektitels uit vroeger jaren. Bij de Koninklijke Marine speelt de traditie immers een erg grote rol.

Matrozen/mariniers: er bestaan *matrozen en mariniers der derde klasse* en die hebben geen rangonderscheidingstekens. Bij de marine kent men ook *matroos der tweede klasse*; niet bij de mariniers). Die hebben een rode V (dat heet in militaire termen een chevron) van stof op de mouw. Let op: bij land- en luchtmacht staan de chevrons met de punt naar boven, bij de marine en de mariniers met de punt naar beneden. *Matrozen en mariniers der eerste klasse* hebben een goudkleurige chevron. *Korporaals en korporaals der Mariniers*: twee goudkleurige chevrons van stof. Soldaten, mariniers en korporaals zijn de vaklieden en voormannen van de KM en de werkers van de marine. Ze worden aangesproken met matroos/marinier en korporaal.

onderofficieren: *sergeant* (drie chevrons), *sergeant-majoor* (vier chevrons). De hoogste onderofficier is de *adjudant-onderofficier* (aanspreektitel adjudant) en die heeft een smalle gouden band met een krul er bovenop, even boven de manchet. Onderofficieren spelen een belangrijke rol bij het uitvoeren van opdrachten, die ze als leider, instructeur en technische vakman begeleiden en uitvoeren.

subalterne officieren: een *luitenant-ter-zee der 3ᵉ klasse* en een *tweede luitenant der Mariniers* dragen een middelbrede gouden band met een krul, een *luitenant-ter-zee der 2ᵉ klasse* (*eerste luitenant der Mariniers*) een middelbrede band met een krul en een smalle band eronder. Een *luitenant-ter-zee der 2ᵉ klasse oudste categorie* (*kapitein der Mariniers*) twee middelbrede banden met krul. Luitenants-ter-zee worden aangesproken met mijnheer of mevrouw, luitenants der Mariniers met luitenant en een kapitein der Mariniers met kapitein. De rangen worden uiteraard weer afgekort, bijvoorbeeld *LTZ 2 OC*: luitenant-ter-zee der 2ᵉ klasse oudste categorie. Officieren vormen het leidinggevende gedeelte van de KM; zij zijn de managers, die operaties vormgeven, leiden en uitvoeren.

hoofdofficieren: een *luitenant-ter-zee der 1ᵉ klasse* (*majoor der Mariniers*) heeft twee middelbrede banden met een smalle band ertussen, een *kapitein-luitenant-ter-zee* (*luitenant-kolonel der Mariniers*), die met overste wordt aangesproken, heeft drie middelbrede banden en een *kapitein-ter-zee* (*kolonel der Mariniers*) heeft er vier. Uiteraard hebben alle officieren weer een krul op de bovenste band. Hoofdofficieren zijn vaak commandant van een schip.

opperofficieren (generaals bij land- en luchtmacht en ook bij de mariniers, maar bij de marine heten die natuurlijk weer anders, namelijk vlagofficieren): een *commandeur* (*brigadegeneraal der Mariniers*) heeft een brede gouden band met een krul en een zilveren, zespuntig sterretje daarboven. Spreek hem aan met commandeur. Een *schout-bij-nacht* (*generaal-majoor der Mariniers*) heeft een brede band met een middelbrede band-met-krul daarboven en twee sterretjes aan weerszijden van die krul. Hij wordt logischerwijs als schout bij nacht aangesproken. Een *vice-admiraal* (*luitenant-generaal der Mariniers*) heeft dezelfde banden, maar dan met drie sterretjes (twee naast, een boven de krul), een *luitenant-admiraal* (*generaal der Mariniers*) vier sterretjes (twee aan weerszijden van de krul). Dan is er nog de admiraal (bij de mariniers hebben ze die rang niet); die heeft in plaats van de sterretjes twee gekruiste zilveren zogenoemde maarschalksstaven boven de krul. De admiraals bij de marine worden met admiraal aangesproken, de opperofficieren bij de mariniers met generaal.

Marinevliegers dragen een zogenoemde *wing* op de rechterborst van hun uniform: een metalen embleem van een goudkleurige adelaar met gespreide vleugels tegen de achtergrond van een oranje zon. Er zijn nogal wat verschillende soorten uniformen: camouflagepakken voor de mariniers, uniformen voor dagelijks gebruik, 'werkpakken' zogezegd, uniformen voor 'netjes' en gala-uniformen voor speciale gelegenheden, zoals parades, vorstelijke begrafenissen en dergelijke. Je hebt ongetwijfeld de begrafenis van Prins Bernhard op de televisie gezien; daar kon je je vergapen aan allerlei kleurige tenues van allerlei krijgsmachtonderdelen. Maar die komen bepaald niet elke dag uit de kast!

Het KIM

En dan de opleiding van de marineofficieren. In het begin, vóór 1854, was die ondergebracht bij de Koninklijke Militaire Academie (KMA) in Breda, waar adspirant-officieren van de landmacht en later ook die van de luchtmacht worden opgeleid. Daar waren in die tijd dus ook de aankomende marineofficieren ondergebracht, want het Koninklijk Instituut voor de Marine (KIM) was destijds van het noorden van het land naar Breda verhuisd en zelfs met de KMA samengegaan. Maar dat bleek geen succes en het heeft dus ook niet lang geduurd. Breda ligt nu eenmaal midden in het land, een heel eind van de zee verwijderd en al helemaal ver van oorlogshaven Den Helder, de stad die al eeuwen de bakermat van de KM was. Dat betekent dat de aankomende marineofficieren (die *adelborsten* worden genoemd, alweer zo'n naam uit het verre verleden, uit 1648 maar liefst) nauwelijks in de praktijk konden oefenen en dat er ook geen voeling met de vloot bestond. Dus werd er op 26 juli 1854 een Koninklijk Besluit (een soort wet, maar zonder dat die door de Tweede en Eerste Kamer hoeft te worden gestuurd) uitgevaardigd. Daarin stond dat de adelborsten voortaan niet meer in Breda zouden worden aangenomen, maar dat de opleiding weer naar Den Helder werd verplaatst. Er werd druk gebouwd op het terrein van de Rijkswerf daar, maar in het begin moest er nogal wat worden geïmproviseerd en werd er lesgegeven in de grote zaal van 'het Paleis', het directiegebouw. Op 25 april 1857 werd in 'het Zaaltje' een houten gebouwtje op het terrein, de officiële heroprichting van het KIM gevierd. Het bouwen vorderde gestaag en ook het aantal adelborsten groeide: in 1854 meldden zich er nog 25 aan, in 1939 zaten er al 98. Toen Duitsland op 10 mei Nederland binnenviel, konden veel adelborsten naar Engeland vluchten en zetten daar hun opleiding voort op Enys House, een landgoed in het zuidwestelijke graafschap Cornwall. Ook kwam er een opleidingsinstituut in het toenmalige Nederlands-Indië, in de stad Surabaya; dat heeft tot maart 1942 dienst gedaan.

Nieuwe start

Na de bevrijding van Nederland werd de opleiding in Den Helder weer opgepakt, met 118 adelborsten in 1946. Ook de voorzieningen verbeterden: waren tot 1974 de adelborsten nog voornamelijk in een wachtschip ondergebracht, dat voor het hoofdgebouw lag afgemeerd, er kwam een legeringsgebouw ('Neptunus') en in 1989 werd 'Enys House' geopend, een schoolgebouw dat van alle moderne audiovisuele middelen is voorzien. Elk jaar worden er zo'n 75 nieuwe adelborsten aangenomen; die zijn dan in vijf zogenoemde *korpsen* onderverdeeld. De opleiding voor het hoofdkorps zeedienst is altijd de belangrijkste geweest, maar gaandeweg zijn er vier opleidingen bijgekomen. De opleiding voor officier der mariniers werd voor het eerst in 1816 in Delft gestart. Al vanaf 1923 was er de opleiding voor officieren van administratie, de opleiding voor officieren-machinisten, die eerst op het fregat Schelde in Hellevoetsluis plaatsvond, verhuisde in september 1923 naar het KIM; toen werd ook de titel adelborst voor de technische dienst ingevoerd. Tussen 1946 en 1950 kregen de officieren-vlieger ook hun opleiding op het KIM, maar de huidige vliegers van de MLD komen – tegenwoordig moeten we 'kwamen' zeggen, zie hiervoor! – uit het korps zeedienst voor. De eerste adelborsten voor het korps elektrotechnische dienst kwamen in 1950 op het KIM terecht. Sinds 1983 worden er ook vrouwelijke adelborsten tot het KIM toegelaten en die kunnen bij alle korpsen terechtkomen, behalve bij de mariniers. Over die diverse diensten en korpsen lees je meer in het volgende hoofdstuk.

Tradities

Leven en studeren bij het KIM gebeurt in internaatsverband. Het eerste jaar slaap je op slaapzalen, het tweede en derde jaar krijg je een eigen kamer in het legeringsgebouw Neptunus. Adelborsten – ook de meiden – worden, net als op de KMA, met 'jonker' aangesproken en hebben veel met allerlei traities te maken. Er is een studentenkorps, het Korps Adelborsten, met een eigen bestuur, de Senaat, en dat korps heeft een grote invloed op het internaatsleven. Elk jaar wordt er een groot galafeest georganiseerd (het *assaut*), er zijn adelborstsportverenigingen en andere clubs waarvan je lid kunt worden.

Veel tijd wordt er aan sport en praktische opleidingen besteed, want een aankomende marineofficier zal toch echt af en toe een tocht aan boord van een marineschip moeten maken! Je draagt op het instituut natuurlijk een uniform, maar in je vrije tijd mag je daarbuiten gewoon je eigen burgerkloffie aan. Na het eerste jaar ben je vanaf half vijf 's middags in principe vrij en dan kun je gaan en staan waar je wilt; dat heet in het marinejargon 'aanvang passagieren'. Normaal gesproken kun je elk weekend naar huis. Het Kerstverlof (vakantie) duurt twee weken, het zomerverlof ongeveer vier weken, van medio juli tot medio augustus.

Adelborsten krijgen een salaris, afhankelijk van je leeftijd en of je eerste-, twee- of derdejaars bent. Dat zijn geen enorme bedragen (een eerstejaars adelborst van 18 jaar krijgt € 1147 per maand, een derdejaars € 1556), maar daar staat tegenover dat je wordt gekleed, gevoed, gehuisvest, verzorgd en opgeleid!

6. Korpsen en diensten

Operationele Dienst

Het woord zegt het al: operationeel. Dat heeft te maken met de operaties, met het werken, indien noodzakelijk onder oorlogsomstandigheden, bij de diverse diensten. De mensen met een operationele baan bij de Koninklijke Marine zorgen voor het operationele gedeelte van een eenheid en hebben ook de verantwoordelijkheid daarvoor. Zo'n eenheid kan een schip zijn, een onderzeeboot, een helikopter, een vliegtuig. En het is hard werken aan boord van een marineschip als je in de Operationele Dienst zit. Zo zijn er ploegendiensten waarin je werkt volgens het schema zeven uur op (werken) en dan vijf uur af (rusten) en daarna vijf uur op en zeven uur af. Je hebt met alle zaken van je eenheid te maken en bent overal van op de hoogte.

Onder de Operationele Dienst vallen drie subdiensten, waar matrozen en onderofficieren deel van kunnen uitmaken. Officieren van de Operationele Dienst behoren bij het korps Zeedienst. Die drie diensten zijn: de *groep Operaties* (ODOPS, Operationele Dienst OPeratieS). Die subdienst is verantwoordelijk voor de tactische inzet van het schip en de bediening van alle wapensystemen, de sonarapparatuur voor het opsporen van vijandelijke onderzeeboten en alle andere wapens, opsporings- en verdedigingsmiddelen.

De *groep Verbindingen* (ODVB) gaat over de radio en alle aanverwante communicatiemiddelen. Zij onderhouden de communicatie met de wal en met andere schepen of vliegtuigen. Vroeger zou je dat de marconist noemen en die bestaat natuurlijk nog wel, maar bij de marine zit je dan bij de ODVB.

De *Nautische Dienst* (ODND) bestaat uit de echte zeelieden, de matrozen. Die doen dienst aan dek, ze onderhouden het schip, doen allerlei schilderwerk, maken het schip schoon en helpen bij het afmeren en ontmeren (aan de kade aanleggen en van de kade worden losgemaakt).

Als het schip aan de kade ligt wordt de hele Operationele Dienst ingeschakeld om alle soorten taken te verrichten die er zich op een schip voordoen: lossen en laden van allerlei goederen, maar ook schoonmaakwerkzaamheden.

Technische Dienst

We hebben al eerder geschreven dat de Koninklijke Marine een bedrijf is dat bol staat van moderne, geavanceerde techniek. Dat is het terrein van de Technische Dienst. Zij zorgen ervoor dat alle voortstuwingssystemen (de motoren van een schip, onderzeeboot of vliegtuig) en energievoorzieningsapparatuur (bijvoorbeeld generatoren die stroom opwekken) op de best mogelijke manier worden onderhouden, zodat ze zonder problemen kunnen werken. Dat betekent dus een heel erg ruim aanbod van technische functies. Officieren van deze dienst vallen onder het korps Technische Dienst.

Ook hier weer drie subdienstgroepen: de *Technische Dienst Werktuigtechniek* (TDW) houdt zich bezig met het verzorgen van alle installaties die te maken hebben met de voortstuwing, de energievoorziening en de apparatuur van de platforms.

De *Technische Dienst Elektrotechniek* (TDE) is verantwoordelijk voor de elektrotechnische installaties op het schip en dat geldt voor alle elektrotechnische apparatuur die met de voorstuwings-installaties te maken hebben, maar ook met bijvoorbeeld hydrau-lische systemen.

De *Technische Dienst Vliegtuigtechniek* (TDV) ten slotte is, zoals de naam al zegt, belast met het onderhoud aan vliegtuigen en heli-kopters. Dat is dus sinds januari 2005 zonder vliegtuigen, maar de helikopters zijn gebleven.

Wapentechnische Dienst

De Koninklijke Marine is onderdeel van de Nederlandse krijgsmacht. Die moet het land verdedigen en helpen bij vredesoperaties over de hele wereld. Die zal ook in oorlogstijd moeten kunnen optreden en daarvoor zijn nu eenmaal wapens en wapensystemen nodig. Een uitgebreid arsenaal van verschillende wapens staat ter beschikking van de krijgsmacht, van pistolen, via kanonnen ('kanons' zeggen ze bij de marine!) tot geleide raketten. Die wapens moeten onderhouden en zo nodig gerepareerd worden. Daarvoor is er bij de KM de Wapentechnische Dienst, die de wapensystemen en opsporingsapparatuur aan boord van een schip, onderzeeboot, vliegtuig of helikopter onderhoudt en repareert. Officieren van deze dienst behoren tot het korps Elektrotechnische Dienst.

De Wapentechnische Dienst kent weer twee subdienstgroepen: de *Wapentechnische Dienst Scheepssystemen* (WDS) zorgt ervoor dat de systemen die de wapens moeten laten werken en hun doelen laten raken in orde blijven. Dat zijn dus niet de wapens zelf, maar de systemen eromheen: radar, richtapparatuur van geleide wapens en opsporingsapparatuur zoals sonar.
De naam van de *Wapentechnische Dienst Vliegtuigtechniek* (WDV) spreekt voor zichzelf: deze mensen onderhouden en repareren de wapensystemen van vliegtuigen (voorzover die er nog zijn!) en helikopters.

Logistieke Dienst

'Logistiek' is een veelgebruikt woord, dat ongeveer betekent 'het verschaffen van middelen en diensten om een bepaald systeem te laten werken'. Ofwel: ervoor zorgen dat de bemanning van een schip eten krijgt om niet van de honger om te komen. Elke maand geld uitbetalen aan de matroos om hem te belonen voor zijn werk, zodat hij in dienst blijft. Munitie naar een schip brengen om ervoor te zorgen dat er kan worden geschoten als het nodig is.

Bij de marine bestaat ook een uitgebreide Logistieke Dienst, die weer in vier subdienstgroepen is onderverdeeld: de *Administratie*, die voor de financiële en personeelsorganisatie zorgt. Zo'n 14.000 marinemensen in je schriftje hebben staan en zorgen dat hun persoonlijke en militaire gegevens overzichtelijk zijn opgeslagen en dat ze telkens weer hun salaris krijgen, is natuurlijk geen geringe taak. Ook behandelt de Administratie de post, de personeelsbeoordelingen, het archief en de reis- en onkostenvergoedingen.
Goederen Beheer zorgt ervoor dat de voorraden in de diverse magazijnen op peil blijven en worden aangevuld zodra dat nodig is.
Verzorging is maar een kort woord, maar het betekent wel dat onder deze dienst de hele catering valt, dus alle eten, drinken, snoeperijen, rookwaren en wat een mens zoal meer consumeert.
Geneeskundige Dienst: dat spreekt ook voor zichzelf. Artsen, tandartsen, verplegend personeel, apothekers en alles wat daaraan vastzit. Als je al maanden op een schip zit en ziek wordt of een ongelukje krijgt, zal er toch iets aan moeten worden gedaan. Dus zijn er een scheepsarts en verplegend personeel aan boord, en een ziekenboeg.

De mensen van de Logistieke Dienst werken meestal aan de wal, maar soms ook wel op schepen. De officieren van het korps Administratie hebben de leiding over het personeel van de Logistieke Dienst.

Het Korps Mariniers

De zeesoldaten. Als je daarvoor kiest, dan weet je wat je te wachten staat: harde trainingen en heel wat ontberingen. Want je moet kunnen opereren in een terrein dat heel anders is dan het veilige, vlakke Nederland: een snikhete, vochtige jungle of een ijskoude sneeuwhelling boven de poolcirkel. Je werkt in ruige, onontgonnen gebieden, overal ter wereld. Dat is dan ook het devies van het Korps Mariniers: *Qua patat orbis*, zo wijd de wereld strekt.

Ook bij de mariniers kun je diverse richtingen kiezen. Zoals kikvorsman, parachutist, ski-instructeur, wapenexpert of commando. Veel mariniers hebben zich in meer dan één richting gespecialiseerd. Het is een mannenwereld; vrouwen worden niet tot de mariniers toegelaten. En je moet in topconditie zijn als je tot dit keurcorps van de marine wilt worden toegelaten: een uitstekende gezondheid, goede ogen en veel doorzettingsvermogen, want er wordt veel van je gevraagd, zowel lichamelijk als geestelijk.

Mariniers worden veel ingezet in NAVO-verband, als deelnemers aan vredesoperaties in dienst van de Verenigde Naties. Het Nederlandse detachement dat in Irak gelegerd is (tot maart 2005 of misschien wel langer, dat is nog niet bekend op het moment dat dit boekje wordt geschreven), bestaat vooral uit mariniers. Ze zitten ook op de Nederlandse Antillen en Aruba, om die gebiedsdelen overzee te helpen verdedigen, kortom: een marinier komt overal.

Marineluchtvaartdienst

Daar hebben we het in het vorige hoofdstuk uitgebreid over gehad. De Orion-vliegtuigen zijn verdwenen, maar de helikopters zijn er nog. Die zijn zeer actief en daarvoor zijn allerlei mensen nodig. Zoals de *officiervlieger* die na een uitgebreide opleiding die helikopter bestuurt. En de *technisch specialist* die ervoor zorgt dat de helikopter in goede staat verkeert en blijft vliegen. De mensen van de *Technische Dienst Vliegtuigtechniek* en van de *Wapentechnische Dienst Vliegtuigtechniek* noemden we al eerder. Ook zij zijn onmisbaar voor het goed functioneren van de Marineluchtvaartdienst.

Bijzondere Dienst

Bij de KM kennen ze bijvoorbeeld de matroos-wasser, die tot taak heeft de was voor het personeel aan boord te verzorgen; die valt onder Bijzondere Dienst. Maar er zijn natuurlijk nog meer functies die niet zo goed in de eerder genoemde eenheden passen. Denk aan muzikant, sportinstructeur, kok, banketbakker. Kun je ook allemaal doen bij de marine. Maar dan moet je wel goed zijn in je vak en dat graag binnen de krijgsmacht willen uitoefenen; bovendien moet er natuurlijk plaats voor je zijn in zo'n specifiek vak.

En verder zijn er eenheden waar nogal geheimzinnig over wordt gedaan en die uit verschillende delen van de krijgsmacht worden samengesteld. Die eenheden zijn opgericht omdat in de laatste jaren de dreiging van terrorisme erg is toegenomen. In het geheim opererende, meestal in geheime kampen opgeleide mannen en vrouwen, die tot doel hebben de burgersamenleving kwaad te doen met snelle, verwoestende aanvallen, om zo hun eigen ideeën te vestigen. Daartegen zijn bijvoorbeeld speciale aanhoudings-eenheden in het leven geroepen, die deel uitmaken van de Bijzondere Bijstands Eenheid-Snelle Interventie Eenheid (BBE-SIE). Deze eenheid staat onder bevel van het Korps Landelijke Politiediensten (KLPD), is gespecialiseerd in het arresteren van terroristische zelfmoordcommando's en opereert in het diepste geheim. Het zijn maar dertig man, maar ze zijn dag en nacht paraat en worden samengesteld uit politie, mariniers en marechaussee. Ze beschikken over alle mogelijke (automatische) wapens en ze moeten aan de hoogste eisen op het gebied van lichaam en geest voldoen. Zo is er ook de eenheid BBE-M, een team van drie pelotons mariniers, dat onder alle omstandigheden verdachten kan aanpakken, maar het best getraind is in terreurbestrijding op zee. En de BBE-K, scherpschutters van marechaussee, landmacht en mariniers.

Die Bijzondere Bijstands Eenheden worden dan weer onder-steund door de Explosieven Opruimingsdienst van de Koninklijke Landmacht; die heeft dag en nacht een paar teams klaarstaan. Dan zijn er bijvoorbeeld ook de zogeheten NBC-compagnieën, die ook al dag en nacht paraat zijn en die worden opgeleid voor het voor-komen en bestrijden van nucleaire, biologische en chemische aan-vallen van terroristen. Maar denk maar niet dat je daarbij kunt sol-liciteren! De leden van die teams worden na een heel zorgvuldige selectie uit politie en krijgsmacht gezocht en vormen dus echt een eliteclub. Dan moet je al een tijdje in dienst zijn en hebben bewe-zen dat je op alle gebieden een uitblinker bent.

Het materieel

Natuurlijk is er in de loop van de tijd – vooral de laatste tien, vijf-tien jaar – ontzettend veel veranderd bij de Marine, vooral op technisch gebied. Geleide wapens, sonar opsporingsapparatuur voor onderzeeboten, radarsystemen: het zijn allemaal moderne wapens die nog niet zo lang geleden deel van de KM zijn gaan uit-maken. En er blijft nog steeds veel veranderen. Nieuwe technie-ken, revolutionaire wapensystemen, afstandsbediening, het speelt allemaal een rol bij een moderne krijgsmacht. Het is dus best mogelijk dat op het moment dat je dit leest er al weer besloten is om kruisraketten aan te kopen of nieuwe, kleinere fregatten, de zogenoemde korvetten. Waar de oude, vaak nog heel goed bruik-bare wapensystemen en het andere afgedankte materieel heen gaat? Dat wordt meestal verkocht, aan andere landen die minder moderne spullen nodig hebben of er minder voor kunnen betalen; zo zijn onlangs dus de Orion-vliegtuigen van de Marineluchtvaartdienst aan Duitsland en Portugal afgeschoven. Soms, als het materieel echt helemaal verouderd is of niet zomaar op de open markt mag worden gebracht (wapens!), wordt het ges-loopt. En ook worden er binnen Nederland wel voertuigen ver-kocht, die je dan gewoon als particulier kunt kopen.

Waar werkt de Koninklijke Marine zoal mee? Het zou te ver gaan om alle spullen die de KM in gebruik heeft op te noemen, maar hier volgt in elk geval een opsomming van het voornaamste materieel. Het is een stand van zaken uit 1999, dus al weer een jaar of vijf oud op het moment dat ik dit schrijf. Er komen natuurlijk in die tussentijd weer nieuwe wapens, nieuwe schepen, nieuwe helikopters en nieuwe uitrusting. In elk geval beschikte de marine in 1999 over:

- 2 fregatten met geleide wapens
- 2 luchtverdedigingsfregatten
- 4 standaardfregatten
- 8 multipurpose-fregatten, die voor diverse taken geschikt zijn
- 2 bevoorradingsschepen
- 1 amfibisch transportschip
- 4 onderzeeboten
- 15 mijnenbestrijdingsschepen
- 1 oceanografisch schip
- 2 hydrografische schepen
- 12 maritieme patrouillevliegtuigen, maar die zijn dus per januari 2005 verdwenen
- 21 helikopters
- 4 bataljons mariniers, waarvan één mobilisabel, dat wil zeggen onmiddellijk oproepbaar.

Bronnen voor dit boekje

In de inleiding heb je al kunnen lezen dat de internetsite www.marine.nl een belangrijke informatiebron voor dit boekje is geweest. Nog meer informatie vond ik bij de volgende websites:
www.mindef.nl (ministerie van Defensie)
www.landenweb.com/bevolking,cfm?LandID=147&NEDER-LAND
www.cdc.nl (Commando Diensten Centrum, ondersteunende diensten aan de krijgsmacht)
www.kimdenhelder.nl
www.marine.pagina.nl
www.marinemuseum.nl
www.dutchsubmarines.com/boats (gegevens van marineschepen)
www.marine.boogolinks.nl
www.reuniepagina.com
www.kvmo.nl (Koninklijke Vereniging van Marineofficieren)
www.hydro.nl/pgs/nl/index_nl.htm (Dienst der Hydrografie van de KM)
www.home3.tiscali.nl/~mwdeba20 (marinevliegkamp De Kooy)

En verder in de volgende boeken en brochures:
Het Ministerie van Defensie/Veiligheid in een veranderende wereld, Ministerie van Defensie, Directie Voorlichting
Werken... bij de Koninklijke Marine, D.M. Jansen, Beroepenboeken dl. 32, 1987 De Ruiter, Gorinchem, ISBN 90-05-50035-2
De Marine in Beeld, Ministerie van Defensie, afdeling Marinevoorlichting, april 2000 Den Haag
De Marine in Beeld, Ministerie van Defensie, afdeling Marinevoorlichting, april 2002 Den Haag
Onze Koninklijke Marine, F.G.A. Woudstra, 1982 De Alk, Alkmaar, ISBN 90-6013-915-1

Kroniek der Zeemacht/Gedenkwaardige gebeurtenissen uit vijf eeuwen Nederlandse marinegeschiedenis, Marc A. van Alphen, 2003 De Bataafse Leeuw, Amsterdam, ISBN 90-6707-570-1
De Marine, Gert van der Maten, Wolters-Noordhoff, 2004 (Junior Informatie; reeks 6; nr. 113)

En bovendien heb ik tijdens het schrijven van het boekje de televisie, de radio en de landelijke dagbladen goed bijgehouden. Die media houden je immers voortdurend op de hoogte van alle veranderingen en nieuwtjes, kortom: het reilen en zeilen van de krijgsmachtdelen. En dat is maar goed ook, want er gebeurt veel in de wereld van marine, landmacht en luchtmacht. Zoveel dat je het bijna niet kunt bijhouden en dat je altijd een beetje achter de nieuwste ontwikkelingen zult blijven aanlopen. Houd dus alle nieuwsmedia goed in de gaten als je je werkstuk of spreekbeurt gaat voorbereiden. Dan ben je tenminste bij op het moment dat je moet presenteren!

Reeds verschenen in de WWW-reeks:

Deel 1 Ku Klux Klan
Ton Vingerhoets
ISBN 90-76968-12-8

Deel 2 Amish
Ton Vingerhoets
ISBN 90-76968-13-6

Deel 3 Jaren zestig
Ton Vingerhoets
ISBN 90-76968-14-4

Deel 4 Brandweer
Ton Vingerhoets
ISBN 90-76968-35-7

Deel 5 Musical
Ton Vingerhoets
ISBN 90-76968-36-5

Deel 6 Politie
Yono Severs
ISBN 90-76968-43-8

Deel 7 Voodoo
Saskia Rossi
ISBN 90-76968-44-6

Deel 8 Aboriginals
Ton Vingerhoets
ISBN 90-76968-37-3

Deel 9 Motorcross
Wilfred Hermans
ISBN 90-76968-59-4

Deel 10 Koninklijke Landmacht
Ton Vingerhoets
ISBN 90-76968-60-8

Deel 11 Koninklijke Luchtmacht
Ton Vingerhoets
ISBN 90-76968-61-6

Deel 12 Koninklijke Marine
Ton Vingerhoets
ISBN 90-76968-62-4

Deel 13 Maffia
Saskia Rossi
ISBN 90-76968-58-6